mulheres livres

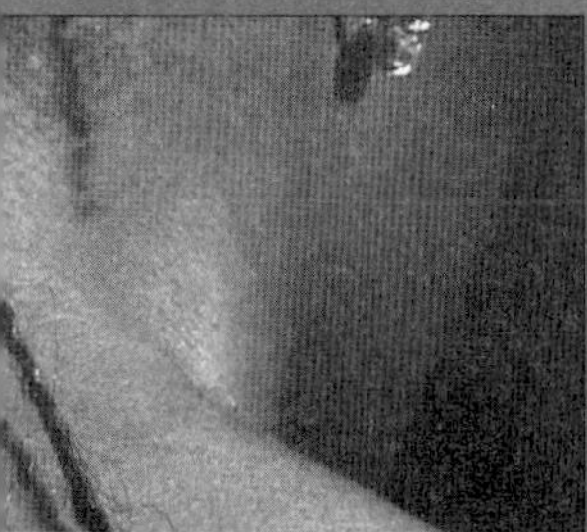
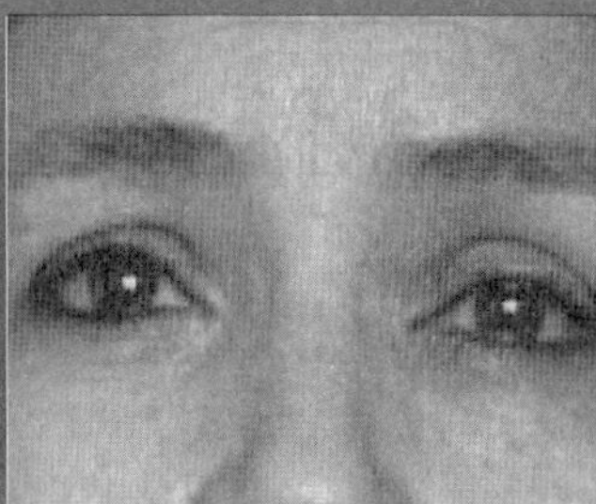

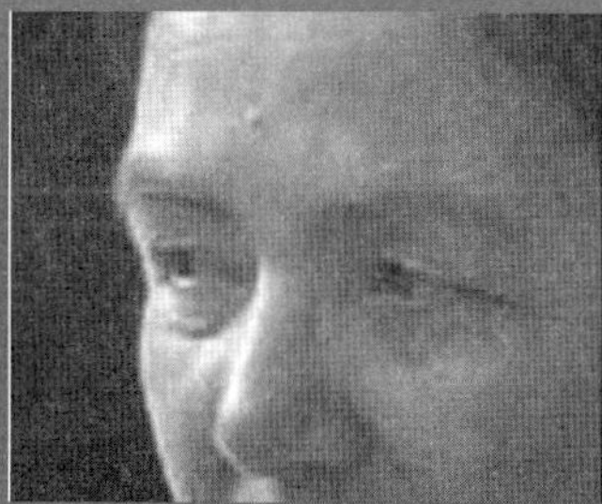

Aurine Crémieu e Hélène Jullien

mulheres livres

a resistência de 14 mulheres no mundo

em colaboração com a
Anistia Internacional

Prefácio de Zazie

tradução
Ana Luiza Ramazzina Ghirardi

Editora Novo Conceito

1ª impressão – maio de 2008

EDITORA: Bete Abreu
ASSISTENTES EDITORIAIS: Marília Mendes e Sonnini Ruiz
PRODUTOR GRÁFICO: Samuel Leal
TRADUTORA: Ana Luiza Ramazzina Ghirardi
PREPARAÇÃO DE TEXTO: Tereza Gouveia
REVISÃO: Flávia Schiavo e Fernando Lippi
EDITORAÇÃO: Gera Comunicação

Dados Internacionais de Catalogação na Publicação (CIP)
(Câmara Brasileira do Livro, SP, Brasil)

Crémieu, Aurine
Mulheres livres : a resistência de 14 mulheres no mundo / Aurine Crémieu e Hélène Jullien ; em colaboração com a Anistia Internacional ; prefácio de Zazie ; [tradutora Ana Luiza Ramazzina]. -- São Paulo : Novo Conceito Editora, 2008.

Título original: *Femmes libres.*

Bibliografia.
ISBN 978-85-99560-33-4

1. Crime contra mulheres - Estudo de casos 2. Crime contra mulheres - Prevenção - Estudo de casos 3. Mulheres - Direitos 4. Mulheres ativistas na política - Violência contra - Estudo de casos 5. Violência contra mulheres - Estudo de casos I. Jullien, Hélène. II. Anistia Internacional. III. Zazie. IV. Título.

08-03223 CDD-303.6082

Índices para catálogo sistemático:
1. Violência contra mulheres : Conflitos sociais : Sociologia 303.6082

Editora Novo Conceito

Rua Sansão Alves dos Santos, 102 • 2º andar • Cj. 21
Brooklin Novo • CEP 04571-090 • São Paulo - SP
Telefones: [11] 5102-4770 • 5102-4834
www.editoranovoconceito.com.br

Sumário

Preâmbulo

A violência cometida contra as mulheres constitui um dos maiores escândalos atuais em matéria de violação aos direitos humanos. Com efeito, tanto em tempos de paz como em tempos de guerra, às mulheres se vêem infligir atrocidades pela simples razão de serem mulheres. Milhões de mulheres são espancadas, violentadas, assassinadas, atacadas, mutiladas ou mesmo privadas do direito de existir. E essa violência acarreta danos corporais, sexuais ou psicológicos para a mulher que dela é vítima: a jovem ou a menina.

Neste livro, você vai encontrar a história de mulheres, histórias terríveis, violentas, dramáticas, histórias de lutas também, de resistência, de solidariedade. Do fundo das masmorras de Drapchi ao Tibete, às praticas de excisão, na França e no Mali, passando pelo reconhecimento dos curdos na Turquia, pelas mães, irmãs e filhas de desaparecidos no Chile, refugiadas nos campos palestinos, jornalistas na Tunísia, advogadas no Malaui... Todas essas mulheres têm em comum a violência que sofreram e os combates que travam para que essa violência seja denunciada e punida, para evitar que outras mulheres sejam novas vítimas.

Nossa luta para ajudar todas essas mulheres começou em 2004. Elas estão longe de nós, mas também são nossas vizinhas. Seus nomes são, às vezes, difíceis de pronunciar, mas são apenas outras de nós mesmas. Não é sempre que dividem conosco nosso cotidiano, nossas necessidades e nossas vontades, talvez até nossas idéias, mas dividem o essencial: ter o direito de viver sua vida de seres humanos, de mulheres livres e responsáveis.

Lutar pelos direitos da pessoa humana e, particularmente, pelo direito das mulheres é acreditar na capacidade do gênero humano de se afastar do pior para produzir o melhor. Esse negócio de conquistas e de batalhas pacíficas, mas cotidianas, vem a vocês, a mim, a nós para que continuemos com a idéia que fazemos de dignidade humana.

Geneviève Sevrin

Presidente da Anistia Internacional, seção francesa

Prefácio

Dizem que as meninas nascem dentro de rosas... Assim como as rosas, acreditamos que sejam dóceis e frágeis, sensuais e delicadas. Como as rosas, oferecidas ao amor, vivendo à vontade da lua e do vento, despreocupadas, leves.

Mas Ronsard tinha razão, ele que já tinha aprendido a desconfiar da rosa e de seus espinhos.

A narrativa da vida dessas mulheres é seu eco. Nada as predestinava à coragem da qual elas dão prova, ao combate que empreendem dia a dia. A força delas é a força do desespero. Tantos punhos levantados e quantas lágrimas antes derramadas. Tantas palavras livres e quantos gritos abafados. Mas quando essa força se manifesta, é sem limite, sem fronteira, sem cor de pele, sem sexo.

A narrativa dessas mulheres testemunha uma realidade bem mais dramática, de uma urgência e evidência absoluta: em países onde a mulher não é respeitada, o homem também não é. Em países onde a mulher é renegada, o homem mesmo se renega.

Tenho tão pouco em comum com Arundhati, a indiana, Leyla, a curda ou Vera, a africana; eu, que tive a sorte de nascer em um país de liberdade.

Mas, por mais diferentes que sejam as histórias dessas mulheres e a minha, há um caminho que percorremos juntas, como uma esperança, um sinal de paz, um afago no rosto de nossas crianças.

Nascidos em um repolho ou em rosas, apenas o amor nos une.

Dessa união e do amor dos homens, as mulheres carregam a vida, dão a vida e respeitam a vida.

Elas são, desde a noite dos tempos, o berço da humanidade.

Zazie

Elas ingressaram na resistência, combatentes, mulheres livres e firmes, tantas palavras poderiam defini-las no combate que travam todos os dias. São quatorze mulheres, mas, atrás delas, há mil, dez mil, quantas outras?

Com freqüência, elas não escolheram esse combate; ele se impôs a essas mulheres como uma evidência, um sobressalto da vida. Algumas ficaram anônimas e lutaram na sombra, outras estavam na primeira linha, embaixadoras de uma causa. Mas isso não importa. O que conta é essa dignidade determinada na adversidade. Diante do medo, elas não renunciaram.

Essas quatorze mulheres, nós as encontramos, às vezes, por meio da Anistia Internacional, às vezes, pelos alegres acasos de nossas profissões de jornalista e diretora.

À admiração que tínhamos por seu engajamento e sua revolta, acrescentou-se uma estima profunda, uma cumplicidade de mulheres, talvez.

Os encontros foram mais ou menos longos; alguns só aconteceram por e-mails, cartas, testemunhos de pessoas próximas, livros e documentários... mas, ao final, ficamos com a impressão de longas conversas e, cada uma dessas quatorze mulheres, com sua singularidade, sua malícia, sua graça, vai nos acompanhar por muito tempo.[1]

Aurine Crémieu e Hélène Jullien

---

1. Três dessas mulheres, Aïssata, Christine e Sofia, quiseram ficar anônimas. Por razões de segurança, seus nomes foram trocados e seus rostos não foram fotografados.

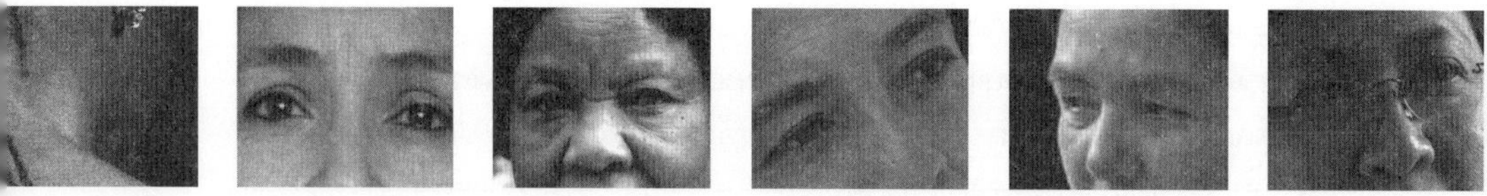

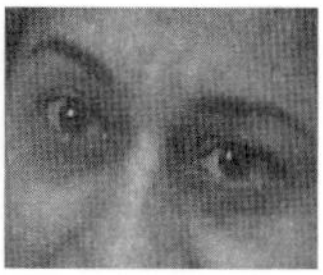
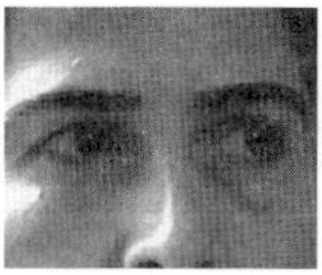
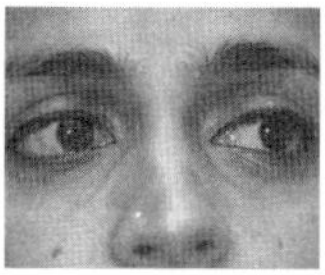
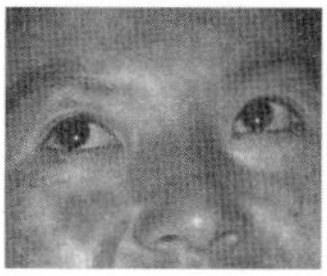
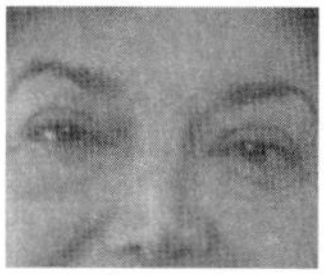
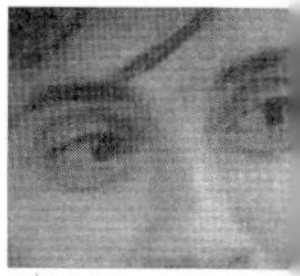

AÏSSATA A.

MALI-FRANÇA

o corpo reencontrado

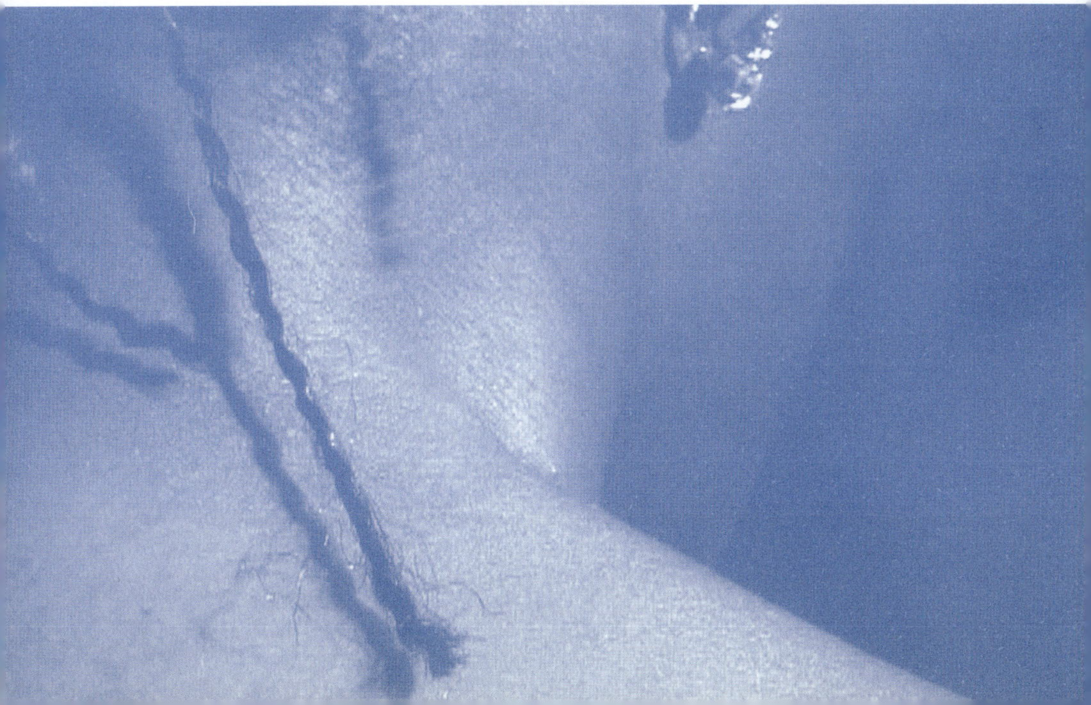

por Hélène Jullien

"O homem tem muito medo de ser dominado se a mulher sentir prazer." (Aïssata)

Quando encontramos pela primeira vez esta maliana alta e bela de cerca de quarenta anos, com rosto expressivo e decidido, emoldurado por finas tranças, pudemos ter uma idéia do caminho percorrido por essa jovem que foi mutilada ainda bebê e que viveu, durante anos, com dificuldade em aceitar seu corpo. Com sua voz grave e bem colocada, Aïssata explica: "Na África, a excisão não é vista como uma violência. Ao contrário, quando uma menininha nasce, a família espera o momento em que ela irá unir-se, entre aspas, ao clã das mulheres. Entre nós, sabe-se o que é a dor física, em contrapartida, não se pensa no sofrimento moral, ainda que ele seja muito mais doloroso. A dor física desaparece; a dor moral, essa permanece para sempre".

Quando chegou a Lyon, ainda na adolescência, enviada por seus pais à casa de uma tia, logo se sentiu "diferente". As colegas de sua idade falavam de sexualidade, tinham sentimentos em relação aos meninos que ela não sentia. Quando tentou explicar o que era a excisão a suas amigas francesas, elas ficaram horrorizadas pela violência da intervenção e as conversas, bem depressa, se tornaram breves. "A dor é tão forte que não se pode falar de excisão a ninguém, e acaba-se prisioneira do silêncio." Um sofrimento exacerbado pelo período difícil da adolescência: "O fato de ser mutilada, de ter vergonha de seu corpo, de ter sido possuída, é muito violento. Na adolescência, não se sabe como abordar esse corpo, não se sabe o que fazer dele e, pessoalmente, vivi o meu como um fardo".

O mal-estar de Aïssata aumentou ainda mais quando encontrou um francês que se tornaria seu marido e pai de suas três filhas. A excisão não lhe pareceu um problema; no entanto, ele a enganou. "Sua desculpa era que tinha necessidade de ter relações com mulheres normais. Eu tinha vergonha, vergonha por não sentir prazer." Uma diferença muito difícil de viver em uma sociedade que exalta o prazer e a sensualidade:

Acaba-se pensando que não existe um lugar nessa sociedade onde a sexualidade é tão importante, vivida como um jogo ao qual não se pode assistir. Vê-se um filme, um casal fazendo amor. A moça está radiante, feliz; digo para mim mesma que nunca vou conhecer isso.

As relações do casal tornaram-se muito difíceis. O marido se ausentou cada vez mais, não hesitava em humilhá-la na frente de amigos, e as cenas se multiplicaram. Esgotada, Aïssata decidiu se divorciar, apesar da situação muito precária. Licenciada em letras, optou por parar de trabalhar até que suas três filhas tivessem atingido a idade escolar.

Mas quando seu marido a acusou, na frente da juíza, de querer realizar a excisão em suas três pequenas filhas, levando-as ao Mali, Aïssata, que já militava em uma associação para a abolição das mutilações genitais, o Gams,[2] ficou embasbacada. A juíza, no entanto, tomou o partido do marido e proibiu a jovem mulher de deixar o território com suas filhas. "Essa juíza não estava pronta para ouvir que uma maliana podia proteger suas filhas contra a excisão; eu não fui reconhecida, ouvida. Meu marido se serviu dessa arma terrível para me proibir de levar minhas filhas para encontrar a família maliana." Graças a sua coragem e determinação, ela conseguiu finalmente a reversão da proibição da saída do território francês.

Na África, também, ela se sente diferente, pouco aceita. No seio de sua família, sua liberdade espanta e irrita: "Fiz muitas coisas que eles não compreenderam: casar com um francês, me divorciar, não mutilar minhas filhas". Quando anunciou seu divórcio, seus irmãos lhe recriminaram por ter tomado essa decisão sozinha, sem ter primeiro consultado a família, como exige o costume africano. Para sua família maliana, suas filhas mestiças são, aliás, consideradas *toubabs*, ou seja, brancas. As africanas que, como ela, militam contra as mutilações genitais femininas são também rejeitadas por muitos de seus compatriotas, que as vêem como "traidoras", veiculando uma imagem negativa da África. Uma amiga lhe disse um dia: "Vocês nos fazem passar por selvagens".

Essa mulher que adquiriu, a um preço alto, sua liberdade e sua independência, sabia que teria dificuldade em voltar a viver na África, em uma sociedade que continua profundamente machista. "Os homens de lá têm todos os direitos; as mulheres, nenhum. Para muitos maridos, bater na mulher é quase natural, e uma esposa deve saber

2. Gams: Grupo pela abolição das mutilações sexuais.

seu lugar, não deve jamais ferir o orgulho do marido nem mostrar, fora de casa, que ela se considera igual ao marido." Ela também reprova nos africanos o fato de não reconhecerem a dor e os problemas provocados pela excisão. Aïssata relembra, ainda com surpresa, uma cena violenta, mas muito significativa de sua adolescência, vivida durante umas férias passadas no Mali. Uma tarde, ela se surpreendeu: "É incrível que nos tenham tirado a sensibilidade" e, suas tias, desconcertadas por sua audácia e sua liberdade no tom de falar, a reprovaram por se tomar "por uma *toubab*",[3] e uma vizinha ainda comentou, com inacreditável agressividade: "Se lhe tivessem deixado a coisa, você se comportaria como uma cadela no cio".

Hoje, no momento em que sua filha acaba de entrar no ensino fundamental, Aïssata parece ter encontrado, finalmente, um equilíbrio, uma espécie de apaziguamento, após anos de sofrimento "morais e físicos", como ela qualifica. Professora pública, vive no subúrbio de Paris. E, com força de vontade e determinação, conseguiu quebrar esse silêncio que a oprimia. Decidiu, para se libertar, fazer psicanálise. "Não é necessário acrescentar à dor o isolamento do silêncio. Quando ninguém pode ajudar, há especialistas para isso." Ela milita no seio do Gams pela abolição das mutilações genitais e não hesita em testemunhar quando solicitada. Mas conserva deliberadamente o anonimato, pois, como professora no ensino fundamental, quer a todo custo preservar a relação com seus alunos. Viveu muito tempo sua dupla cultura como um dilaceramento: "No começo, é difícil. Tem-se a impressão de não pertencer a lugar algum. Mas, com a maturidade, repudiei o que me parecia ruim na cultura maliana e guardei o resto". Atualmente ela se considera tão francesa quanto maliana.

3. Denominação que os africanos dão aos brancos (N. da T.).

Após anos de castigo e silêncio, ajudada pela psicanálise e por sua atuação no Gams, Aïssata é, agora, capaz de exprimir sua cólera diante das conseqüências da excisão. No ano passado, no Mali, uma de suas cunhadas morreu, por causa de uma hemorragia, ao dar à luz. A clínica não tinha estoque de sangue. No mesmo dia, quatro outras moças, uma das quais com 16 anos, sucumbiram em outras clínicas. Mas o peso da tradição é tamanho na África que muitos se recusam a fazer uma ligação entre essas mortes e a excisão. "Para os velhos, é a fatalidade, a vontade de Deus. Eles dizem: era seu dia. As pessoas sabem que essas mortes estão ligadas à excisão, mas ninguém fala disso." As conseqüências dessas mutilações, ainda que ocultadas na África, são muito duras para a saúde das mulheres e podem também criar sérios traumas psicológicos. Praticadas em condições freqüentemente precárias, a excisão e a infibulação podem provocar diversas infecções graves, das quais algumas levam à esterilidade, sem falar do tétano e da Aids. Bebês e meninas morrem regularmente de septicemia. E, no momento do parto, os dilaceramentos sofridos pelo períneo são três vezes mais freqüentes nas mulheres incisadas do que nas outras. Entre outras complicações mais freqüentes, uma das mais sérias é a aparição de fístulas que, quando mal curadas, podem provocar incontinências graves. Mais de 60 milhões de africanas sofrem com isso – entre elas, muitas são colocadas à margem da sociedade, rejeitadas pela própria família, já que a incontinência é julgada vergonhosa.

Praticadas em ao menos 25 países africanos e alcançando mais de 120 milhões de mulheres (ou seja, um terço da população feminina africana), as mutilações sexuais femininas acontecem também na Indonésia, na Malásia, no Iêmen e, evidentemente, no seio de comunidades de imigrantes em países ocidentais. Estima-se, assim, que, na França, 20 mil mulheres e 10 mil meninas sejam vítimas dessa prática. Desde agosto de 1983, um mandado da Corte de Cassação francesa definiu a ablação do clitóris como mutilação, portanto um crime passível de dez a vinte anos de prisão, dependendo do caso. Mas eis o efeito perverso dessa lei (a França é o único país europeu a considerar essas práticas um crime): numerosas famílias passaram a mandar incisar, a partir de então, suas meninas ou adolescentes em sua terra natal durante as férias escolares.

Para Aïssata, como para todas as militantes que lutam pela abolição das mutilações genitais, o combate continua. Para elas, as campanhas de informação, na França ou na África, continuam a ser a maior arma para fazer evoluir as mentalidades. Em alguns países africanos, as coisas começam, na verdade, a mudar: debates e anúncios na televisão, campanha contra a excisão, trabalho de associações no campo fazem desmoronar tabus e circular a informação sobre os riscos à saúde e à vida das mulheres submetidas a essa prática. Alguns *imams*[4] senegaleses chegaram a se pronunciar, durante suas rezas, contra a excisão, lembrando que essa prática não é uma recomendação do Profeta e não é preconizada pelo Alcorão. No Senegal, em Burkina Faso, em Djibouti, no Egito, na Costa do Marfim e no Togo há, atualmente, leis reprimindo essas mutilações, mas isso não acontece em todos os países e a harmonização das legislações em termos de continente é um desafio prioritário.

Hoje Aïssata vive sozinha com suas três filhas. Traumatizada por seu primeiro fracasso, ela não tem vontade de experimentar nova-

4. Chefe religioso muçulmano (N. da T.).

mente a vida a dois. Durante anos, foi-lhe até difícil ver um homem se aproximar dela. Mas seus sete anos de análise a ajudaram muito:

É possível sair disso aceitando ter sido incisada, ter esse corpo e fazer de tudo para apropriar-se dele.

Decidida a ir até o fim de sua caminhada, resolveu fazer uma cirurgia reparadora. Há alguns meses foi operada pelo dr. Pierre Foldès: "Um homem extraordinário, que escuta muito", diz com um largo sorriso, "um verdadeiro militante que não suportava a dor das mulheres". Quando ouviu, pela primeira vez, falar dessa operação, Aïssata sentiu-se pronta. "Sempre sonhei que um dia poderiam me curar. Esperava esse dia há anos. Entrei em contato com o dr. Foldès e algumas semanas depois fui operada." Em missões na África, esse urologista curou inúmeras mulheres, vítimas das conseqüências de condições sanitárias precárias nas mutilações genitais. Para responder à aflição dessas mulheres, ele realiza cirurgias reparadoras que pratica na França há aproximadamente seis anos. Na verdade, a incisão amputa a parte visível do clitóris, logo é preciso encontrar a parte interna liberando os ligamentos que o seguram e inervá-lo novamente. O dr. Foldès já operou cerca de 200 mulheres e é cada vez mais solicitado. Esse ato, considerado no início como "cirurgia estética", é agora reembolsado pelo sistema de saúde francês, Caisse Nationale d'Assurance Maladie (Cnam), mas apenas para cirurgias realizadas no setor privado. O dr. Foldès, aliás, começou a formar colegas africanos que vêem à França para aprender essa técnica. O fato é que, se essa cirurgia reparadora começasse a se desenvolver em uma escala maior na África, ela representaria uma esperança para milhares de mulheres.

Quando fala dessa "reparação", Aïssata é só sorrisos, mesmo quando confessa ter sofrido bastante durante as semanas que seguiram a intervenção. "Mandei minha família e minha cultura às favas. É um combate que venci. Apaguei anos de humilhação. Reapropriei-me de meu corpo e agora eu decido. Hoje, mesmo se não sinto muitas sensações – a cirurgia é muito recente –, tenho a impressão de que meu corpo vive."

SIHEM BENSEDRINE
TUNÍSIA

a palavra confiscada

por Aurine Crémieu

"O regime tunisiano sempre se preocupou em conservar um ramo de jasmim entre a orelha e o quepe, em transformar suas praias turísticas em biombo de suas salas de tortura. As aparências enganam. Porque Sihem é inteligente e meiga, porque ela nos abre sua porta mesmo com os riscos da repressão, ela permitiu que todos aqueles que a encontraram atravessassem o espelho."[5]

Ser mulher na Tunísia não é o que se acredita. Claro, o *tchador*, véu usado pelas mulheres, não é mais obrigatório, os *jeans* modelam as pernas das estudantes e, nos bairros da moda de Túnis, bebem-se coquetéis entre amigas até o fim da noite. Mas tudo isso, acredita Sihem Bensedrine, é uma cortina de fumaça. Tudo, como a pretendida democracia tunisiana manejada por Zine el-Abidine Ben Ali, é uma ilusão. Ela compreende isso muito bem e, apesar de tudo, escolheu viver em seu país. Apesar dos espancamentos, da prisão, da perma-

5. Florence Aubenas, jornalista do *Libération*, fez o prefácio do último livro de Sihem Bensedrine, *Lettre à une amie irakienne (disparue)*, La Découverte, 2003.

nente censura, da polícia política, noite e dia, na frente da casa dela... Uma vida marcada pela resistência a esse regime arbitrário que não tolera nenhuma voz dissonante. Na vida de Sihem, a tomada de consciência começou muito cedo, "é um combate que não veio assim como mero desejo de engajamento; é como alguém que cai na água. Eu me vi na água tentando me debater para seguir como ser humano e, sobretudo, como mulher cuja dignidade humana estava contestada". A Tunísia é, sem dúvida, um dos países árabes mais avançados em termos de liberação da mulher, mas as mentalidades não são todas adquiridas com essa liberdade. Sem falar de um regime que tem se servido da propaganda para maquiar a realidade. "Aqui, as mulheres estão bem até estarem protegidas por uma redoma, mas assim que começam a viver, a ser participantes na sociedade exercendo liberdades outorgadas precariamente, elas se defrontam, de forma brutal, com esse poder que não aceita a mulher como participante civil e ainda menos como adversário político." Desse modo, o engajamento de Sihem em favor das mulheres fez-se naturalmente, e, com ele, vieram a política, a dissidência, a escrita como arma de protesto. "Estar na contestação social leva, de fato, a todas as confrontações." Exigindo sua dignidade de mulher, Sihem reivindica também seus direitos de cidadã tunisiana. Ao longo dessa jornada, ela percebe que esse respeito elementar não é somente recusado a suas co-irmãs, mas a todos aqueles que se levantam pouco ou muito contra o regime atual. Antes dela, quantos dissidentes políticos, jornalistas, defensores dos direitos humanos, advogados foram presos e torturados? Milhares.

Talvez por isso Sihem raramente utiliza a palavra "governo" e diz, de preferência, "Ben Ali" sem nada antes ou depois, como a marca de um produto que se basta. Porque ela o considera o grande responsável pela regressão da Tunísia, esse país que podia orgulhar-se de um excelente nível de educação e desenvolvimento. Ao ascender ao poder em 1987, após depor Habib Bourguiba por "senilidade", Ben Ali colocou a Tunísia em um regime regulamentado, grande parte das riquezas do país foi parar nas mãos de seu clã e arremessou o país a um passo do autoritarismo. Os partidos políticos, a imprensa independente, os sindicatos, as universidades, tudo foi proibido ou controlado; os meios de informação e telecomunicação ficaram sob seu controle. O general Ben Ali chegou a reformar a Constituição para conseguir um quarto mandato e beneficiar-se de uma imunidade que o protegeria de todas as acusações levadas aos tribunais.

Sihem fez mestrado em filosofia em Toulouse, na França, e voltou a seu país. Trabalhou como repórter para o jornal independente e satírico *Le Phare;* depois passou a chefe da seção de política do jornal semanal *Le Maghreb*. Os dois jornais seriam proibidos: *Le Phare* apenas um ano após a posse de Ben Ali; *Le Maghreb* foi suspenso três anos mais tarde. Seu diretor, Omar S'habou, foi até acusado de "difamação, publicação de falsas notícias e ofensa contra um membro do governo", sendo condenado a quatorze anos de prisão. Quando o governo não conseguia influir diretamente sobre os jornalistas, exercia uma pressão tão grande sobre as gráficas que os jornais, na linha de fogo, não eram impressos. Sihem não se deixou abater, pois era e continuaria a ser jornalista. Sentindo o cerco se fechar em torno dos últimos veículos independentes, ela decidiu fundar uma editora com alguns amigos, intelectuais tunisianos e europeus. Vários títulos foram publicados sob o selo Aloès, mas, após inúmeros furtos encomendados pelos serviços especiais, os livros foram colocados sob sigilo judicial e seguiu-se uma conferência realizada na editora sobre a liberdade de expressão. Longe de reconhecer a arbitrariedade dessa censura, o regime fechou a editora alegando razões de higiene! "Não sei de qual higiene Ben Ali falava, provavelmente de sua própria higiene que eu não respeitava. De qualquer modo, na Tunísia, o livro está banido." Depois disso, as gráficas foram convencidas a deixar de trabalhar com a editora Aloès, o diretor editorial Jean-François Poirier foi expulso do país e Sihem foi forçada a fechar a editora.

Para descrever o jogo perverso que ocorre entre o regime e a mídia ou o mundo editorial, ela gosta de contar esta história: Um dia, o diretor da agência France-Presse de Túnis publicou uma nota em que dizia que, para Ben Ali, o livro era mais perigoso do que as metralhadoras. Para puni-lo por tamanha audácia, a polícia política preparou-lhe uma armadilha. Uma jovem caiu desmaiada em frente a seu carro; como ela estava inconsciente, ele a levou ao hospital, mas ela começou, de repente, a gritar estupro. O jornalista francês é, então, acusado e obrigado a deixar o território tunisiano.

Foi assim que Ben Ali se livrou da última pena que tinha ousado escrever abertamente sobre o livro e sua ameaça.

São esses seus métodos. Escutas, intimidações e ameaças em plena rua, reuniões proibidas... o cotidiano de Sihem passou a ser de uma inimiga do regime, uma dissidente que os serviços especiais não eliminariam – ficaria evidente demais –, mas tentariam minar a conta-gotas. E como Sihem não se contentou em apenas escrever e esteve ativa nas organizações de defesa dos direitos humanos e de associações feministas, o assédio não parou, atingindo seu paroxismo em 2001. Em meio a tudo isso, ela participou da criação do Conselho Nacional para as Liberdades na Tunísia do qual se tornou porta-voz. Quando as autoridades lhe concederam um passaporte, fato muito raro, Sihem percorreu todas as capitais européias para denunciar o que chama de "ditadura soft" de Ben Ali. Em junho de 2001, quando voltou de Londres, foi detida no aeroporto de Túnis e presa por ter concedido uma entrevista a um canal inglês, na qual falou sobre corrupção e falta de independência da justiça na Tunísia, bem como sobre tortura em delegacias e prisões. Agora era a vez dela. Sihem foi várias vezes espancada e submetida a condições sórdidas na prisão, mas aprendeu a fazer algo na prisão que lhe salvou a vida e, mais importante, protegeu seu equilíbrio mental.

Ela começou uma técnica de desconexão da realidade que não diminuía a dor física, mas proporciona a total alienação em relação ao algoz. "O que liga o algoz à vítima é o reconhecimento que a vítima tem dele, do fato de ele ser o algoz. Ele estabelece o elo do medo; quanto mais esse medo está presente, mais terrível é o poder do algoz. A dor que ele é capaz de infligir é diretamente proporcional a essa corrente de medo que passa entre eles. Quando há uma desconexão, essa corrente deixa de passar. Recusei-me a entrar na lógica do algoz, não lhe preparei o terreno do medo e do poder. Desde que me desconectei, não o sinto mais, não o vejo mais. Eles não estão mais lá, e só meu combate contou." Sihem tinha consciência de que essa técnica podia, também, levá-la à loucura; mas, até aquele momento, estava funcionando. Sua razão se manteve intacta. Para tanto, ela não contestava a dor infligida e os golpes, "quando a dor chegava, não se podia negar: tratava-se de você; e ela era poderosa. Quando se sente pés em seu pescoço, em seu rosto, quando se sente que seus pulmões estão completamente esmagados, quando se vê a morte próxima, sente-se que vai partir". Mas Sihem foi resistente, passado o momento de tortura, ela já iniciava sua reconstrução. Esse mecanismo lhe deu a liberdade de que precisava para arquitetar novos projetos. Após um mês e meio passado no presídio feminino de Manouba, ela estava, provisoriamente, livre, aguardando seu processo. Essa libertação inesperada foi o fruto de uma ampla mobilização internacional que acabou pressionando as autoridades tunisianas. Um apoio exterior, é verdade, mas também uma grande solidariedade do povo tunisiano que, mesmo vivendo no medo e no silêncio, aprovou aqueles que lutavam pela volta da democracia. Duzentos advogados prontificaram-se a defender Sihem no processo, o que demonstrou o respeito que seu combate inspirou.

Irritado, o poder também tentou fazer campanhas de difamação contra Sihem e seu marido, Omar Mestiri, e soube onde tocar para fazer o mal. "É doloroso ser arrastada na lama, quando a imprensa de sarjeta e os jornais do Ministério do Interior a tratam como prostituta, bastarda, lançam coisas sobre você para destruir com maior facilidade sua imagem pública." Uma fotomontagem, que circulou clandestinamente, mostrava Sihem como prostituta; pior ainda, ela foi acusada de ser agente do império sionista a serviço da embaixada de Israel, uma calúnia gravíssima em um país árabe. Contra essas calúnias, Sihem abriu um processo e mais de uma dúzia por agressões físicas, torturas, violações da vida privada, mas nunca a justiça se deu ao trabalho de responder. A esse regime, ela prefere a prisão. "Com tais métodos, sofre-se mais quando se está fora, ou seja, livre. Eles colocam um guarda permanentemente atrás de você e a acusam de coisas que não cometeu. Ao menos, na prisão, as coisas são claras, transparentes: é uma sanção política. Fora, é uma perseguição dissimulada." Em sua grande covardia, raramente o regime atacou os jornalistas claramente, preferindo lançar-lhes delitos de direito comum. Esse trabalho covarde contra a imagem era, aliás, a base do sistema de Ben Ali. É desse modo que ele assegurou a seu poder uma vitrina apresentável e conseguiu ser convidado às reuniões de nações democráticas e de seus chefes de Estado. Seus bons negócios com os países europeus não sofreram entraves de uma política repressiva mal maquiada. Há centenas de relatórios sobre as violações flagrantes dos direitos fundamentais na Tunísia, mas a política de avestruz parece ser a lei. "Nós, tunisianos, somos feridos por esse duplo discurso das democracias ocidentais que nos remetem a certos valores universais e chegam a nosso país aplicando outros parâmetros, bajulando Ben Ali. É um modo de nos dizer que a democracia não é boa para os *bougnoules*,[6] que nossos ditadores são muito bons para nós, já que nos dão o que comer. É assim que vemos tudo isso."

Após várias tentativas de autorização legal para fundar uma nova revista, *Kalima*, e várias recusas, Sihem lançou-se no jornalismo digital, último espaço de liberdade, e não tem medo quando escreve. Seus colegas jornalistas são tao motivados quanto ela. *Kalima* é, assim, um jornal on-line do qual é redatora-chefe. Seu site foi bloqueado na Tunísia, mas pode ser acessado de qualquer outro lugar. A perseguição continua, já que cerca de 400 agentes teriam sido mobilizados pelo Ministério das Comunicações tunisiano para investigar os internautas dissidentes e vigiar sua navegação. Há pouco tempo, Sihem

---

6. Termo pejorativo para designar o trabalhador proveniente da África do Norte (N. da T.).

recuperou seu passaporte e voltou a viajar. No exterior, ela pôde continuar seu incansável trabalho de informação, publicar seus livros e artigos. Mas nunca saiu por muito tempo, sua vida está na Tunísia. "Não jogo pedras naqueles que escolheram se exilar, já que, para mim, o exílio é a pior das sanções que se pode escolher. Ao partimos, acreditamos escolher a liberdade, mas não somos livres no exílio, nossas raízes são cortadas e sofremos. A Tunísia é meu país, é o lugar onde sou chamada por um combate e não posso abandoná-lo."

VERA CHIRWA

MALAUI

uma memória obstinada

por Aurine Crémieu

"Os dias eram tristes e as noites eram tristes. O miado do gato fazia tremer. Uma manhã, uma mulher se levantou, amarrou bem forte sua canga em volta da cintura e disse: Hoje vou trazer comida para vocês. E os homens compreenderam que, nesses tempos, nasciam outros homens, nasciam também outras mulheres."[7]

Ela fala sussurrando. Um venerável fio de voz que entra em seu septuagésimo quarto ano e, se o silêncio não reinar ao redor, ele lhe escapa. "Fiquei doze anos em isolamento quase total, tornei-me muda. Quando saí da prisão, levei meses para pronunciar as primeiras palavras. Hoje perco o fôlego rápido." O pecado da modéstia! Vera Chirwa não perde o fôlego, são só as suas cordas vocais que, às vezes, lhe pregam uma peça, mas o fôlego está bem ali, a serviço dos homens e das mulheres que vivem em um estado degradante nas prisões africanas. Ela poderia bancar a aposentada indolente, a vovo-

7. Sembene Ousmane. *Les Bouts de bois de Dieu*, Présence Africaine, 1960.

zinha, mas é, de fato, uma advogada incansável que, se não tem mais muita voz, tem pernas e entusiasmo para mover o sistema penitenciário de vários países da África austral. Ela sabe do que fala, pois esteve na prisão por um longo tempo. E contra tudo que se esperava, não foram as idéias de justiça ou de política que decidiram o destino de Vera Chirwa, foi o amor. Quando nasceu em Nyassaland, no início dos anos 1930, esse país era um vasto território sem liberdade. Uma terra hesitando entre os interesses dos comerciantes árabes e portugueses, mestres no trato de escravos, e dos britânicos que cobiçavam esse território fértil banhado pelas águas doces do lago Malaui. Vera veio ao mundo com a pele negra, no momento em que os impérios dividiam entre si a imensa África. As crianças *bantous*[8] de então não podiam manifestar-se, tinham sorte se escapassem dos calabouços dos barcos negreiros. Ela cresceu escutando o rugir de uma capital que caiu, finalmente, nas mãos dos ingleses.

Para os povos *bantous*, os britânicos tinham uma vantagem sobre as outras potências coloniais da época, pois eram contra a escravidão. Eles a aboliram e asseguraram um protetorado sobre o Nyassaland. As mercadorias afluíam de Moçambique e da Tanzânia vizinha; os britânicos pretendiam ficar ali por um tempo, mas o povo decidiu o contrário. Nos anos 1950, a revolta aumentou, os negros estavam cansados de viver sob o comando inglês. Vozes dissidentes organizaram-se e fizeram explodir essa aspiração visceral à independência, própria a todo povo sob autoridade de outro povo. Entre essas vozes estava a de Vera, que se tornou uma jovem advogada, e a de Orton Chirwa, por quem ela estava apaixonada. Os dois estudaram Direito na Inglaterra, o país "protetor". Orton é um dos fundadores do Par-

8. Grupo de povos da África austral que fala línguas comuns (N. da T.).

tido do Congresso do Malaui, declarado ilegal pela força colonial. Era um advogado brilhante, que prometia um grande futuro político se a luta pela independência triunfasse. Juntos eles se engajaram com paixão em uma vasta campanha de desobediência civil que teve início em 1959 e durou cinco longos anos, fazendo soar os sinos que anunciaram a morte da era colonial. Evidentemente, a repressão que se abateu sobre eles foi feroz, mas feroz também foi a determinação desses jovens. Durante esses anos de luta, Vera e Orton conheceram o dr. Hastings Kamuzu Banda, que voltava ao país depois de um longo exílio. Amigos, festejaram juntos o 6 de julho de 1964, o belo dia em que Nyassaland se tornou, enfim, o Malaui independente. Orton Chirwa, consciente do carisma de seu amigo Kamuzu Banda, assumiu um papel mais discreto no Partido do Congresso do Malaui e deixou que ele tomasse as rédeas do país. Apenas Vera pode dizer, hoje em dia, que essa foi, sem dúvida, "a decisão mais generosa e perigosa de meu marido". Mas como saber que, enquanto o povo estava em festa para comemorar o nascimento de uma nova nação, o dissidente de ontem se transformaria, no dia seguinte, em déspota? O primeiro sinal dessa transformação não demorou. Proclamada a independência, a nova Constituição do Malaui nomeia Kamuzu Banda presidente vitalício. Ele reinaria, soberano no Malaui durante trinta anos. Orton foi nomeado ministro da Justiça, mas não tardou a sentir soprarem os maus ventos.

Quando Banda ordenou a eliminação sistemática dos opositores políticos, vários ministros se opuseram. Orton e Vera ousaram discordar do antigo companheiro de luta, o que ele não perdoaria. O ministro Chirwa foi sumariamente destituído, ainda que o primeiro governo independente malauiano só existisse havia algumas semanas.

Obrigado a se exilar, o casal instalou-se na Tanzânia. Nesse meio-tempo nasceu seu primeiro filho. Vera logo encontrou trabalho como procuradora-geral. "Não se tratava, para nós, de cruzar os braços por causa do exílio. Não podíamos recomeçar a vida na Tanzânia como se nada estivesse acontecendo. Com Orton, tínhamos lutado muito por um Malaui livre." Deprimidos por seu país viver à sombra da ditadura, eles retomaram o engajamento político e criaram o Movimento de Libertação do Malaui (Malawi Freedom Movement), única formação malauiana no exílio. Eles se amaram, tiveram outros filhos, desafiaram ameaças e intimidações. Vera começou até a lecionar Direito na Universidade de Lusaka, na Zâmbia. Com essa maravilhosa energia que, mais tarde, lhe salvaria a vida, ela dividia seu tempo entre a família numerosa, o trabalho e a política ao lado de seu homem. Os anos se passaram e Orton e Vera estavam felizes apesar do exílio forçado. Mas, em dezembro de 1981, tudo ruiu. Era véspera de Natal e os Chirwa estavam na Zâmbia visitando parentes doentes. Eles foram seqüestrados por membros dos serviços de segurança malauianos e levados pela força militar ao Malaui, onde passaram por um "tribunal tradicional" que lhes recusou a assistência de um advogado e o comparecimento de testemunhas.

Era uma paródia de processo, e ficamos estupefatos de ver o modo como a justiça nos tratava, a maneira como os juízes aplicavam, cegamente, a decisão ditada por Banda. Eles não tinham nenhuma prova contra nós. Quando lhes perguntei em que baseavam sua acusação, responderam sem vergonha: "Em nada, mas vocês são, assim mesmo, culpados".

Com a falta de qualquer defesa possível, o veredicto foi dado: Vera e Orton Chirwa, acusados de alta traição, foram condenados à morte. Esperando a execução da sentença, ficaram em celas de isolamento na sinistra prisão central de Zomba. Ela pensou, então, que aquela seria a última vez que veria Orton e foi tomada pela angústia. Na ala feminina, descobriu a tortura e as infames condições das detenções. Seus filhos não tinham autorização para visitá-la; ela estava isolada do mundo e de toda a humanidade palpável e se protegia na oração. Vera acreditava em Deus desde pequena, e essa crença iria mantê-la. Em 1984, do fundo de sua cela, ela não sabia nada dos milhões de cartas que circulam no mundo para pedir sua libertação.

Orton e Vera Chirwa foram considerados prisioneiros de opinião e adotados pela Anistia Internacional, e os pedidos a favor da libertação deles se multiplicaram. Para não perder o prestígio, o presidente vitalício Kamuzu Banda sinalizou com um gesto: transformou a pena de morte em pena de prisão perpétua. Começaram, então, longos anos de escuridão, sujeira e silêncio. Orton sofreu maus-tratos e ficou desnutrido; sua saúde se deteriorava rapidamente. Muito fraco, perdeu primeiro a audição, depois a catarata o deixaria quase cego. Com a falta de cuidados, as coisas só pioraram. Após dez anos em prisão, sempre sob a pressão internacional, Banda autorizou a visita de uma delegação de advogados britânicos ao casal Chirwa. Em setembro de 1992, após os anos de separação, Vera reviu Orton; seu velho estava esgotado e doente. Ele estava com 73 anos. Os juristas britânicos foram encarregados de constatar as condições de vida dos prisioneiros políticos e revoltam-se com o estado de saúde de Orton Chirwa. Kamuzu Banda continuava irredutível. Três semanas depois, Orton morreu na solitária. "Eles o tiraram de mim", sussurra Vera. Ela não foi autorizada a assistir ao enterro do homem de sua vida e só seria libertada "por razões humanitárias" três meses depois, após doze anos de prisão. A primeira coisa que fez, claro, foi visitar o túmulo de Orton. A segunda foi partir para a luta, isso porque, aos 60 anos, ela ainda tinha força suficiente para mover montanhas. Quando saiu da prisão central de Zomba, o Malaui estava fervendo. Após trinta anos de poder sem partido de oposição, o ditador vacilou e viu-se obrigado a aceitar o multipartidismo em junho de 1993. Ele perdeu a presidência e, ainda melhor, foi preso, julgado e considerado culpado pelo assassinato de três ministros e um parlamentar. É impossível saber o número de vítimas, mas, agora, o déspota não pode mais fazer mal. Em algumas décadas, o Malaui, terra fértil e banhada por lagos, se tornaria uma terra de miséria, um dos países mais pobres do mundo. Vera não se enganava, "em meu país as mulheres estavam em total perigo. O Malaui tinha muitas viúvas e órfãos destituídos de todos os bens e, sobretudo, de todos os direitos sociais, políticos e econômicos. Eu precisava fazer alguma coisa por eles". Após poucos meses de uma liberdade reconquistada, ela já fundava o Malawi Carer.[9]

Para atingir as populações analfabetas das zonas rurais, Vera escolheu a pedagogia do teatro e formou educadores nas cidades. Atravessando o país, constatou por toda parte um pouco das devastações do vírus da miséria depois daquele que dizimou a África, o HIV. Com a urgência, o Malawi Carer tornou-se uma das organizações mais ativas e mais próxima dos doentes de Aids nessa região austral. Muitos são os terrenos de luta que absorveram Vera, "a grande viúva". Seus filhos estavam crescidos, alguns viviam ainda no exílio, outros

9. Centre for Advice, Research and Education on Rights é uma organização não-governamental que oferece assistência jurídica gratuita e programas de educação para mulheres do Malaui.

voltaram ao Malaui para ficar próximos dela. Ela tem muitos netos, e quando, enfim, poderia bancar a vovó que mima os netinhos, a Comissão Africana dos Direitos Humanos e dos Povos (CADHP) a nomeou relatora especial sobre as prisões e as condições de detenção na África. "Isso não se recusa!", afirmou a advogada, muito honrada. Assim, desde 2000, Vera Chirwa visita prisões, delegacias, centros disciplinares e ministérios de Namíbia, Moçambique, Quênia, Tanzânia, Uganda e Malaui. Com uma pequena equipe, ela investiga as condições de detenção, pede explicações aos ministros da Justiça, aos diretores das prisões.[10] Alguns ficam assombrados ao vê-la abrir as portas das celas, discutir com os prisioneiros, experimentar sua comida. "Por mais que eu tenha passado por isso, sempre fico chocada com o estado deplorável das prisões africanas. Muitos prisioneiros não têm cama, banheiro, sabonete, muito menos coberta. A imundice em que vivem é inimaginável." Em seus relatórios, a ex-advogada, prisioneira política e viúva de ministro, não mede palavras, arriscando atrapalhar os jogos diplomáticos da região. Em seu sorriso malicioso, vê-se bem que ela tem prazer em botar tudo de pernas para o ar. A comissão reúne-se duas vezes por ano, em maio e outubro. Os investigadores especiais exigem, na ocasião, a presença dos representantes dos Estados envolvidos e das ONGs. "É uma verdadeira batalha. Todos os Estados contestam meus relatórios e minhas declarações, em absoluta má-fé." Mas isso basta para reformar o sistema penitenciário? Para Vera, como para todo militante dos direitos humanos, o fato de

10. Vera Chirwa é sempre acompanhada de um membro do Penal Reform International (PRI), organização não-governamental que milita para a adoção de reformas penais, a melhoria das condições de detenção e contra a pena de morte. O PRI desfruta do *status* de observador na comissão africana dos direitos do homem e dos povos.

denunciar um Estado não é suficiente, claro. Ainda que se aplique no desempenho de sua missão de investigadora especial, ela não é tola. Seria necessária uma corte de Justiça africana "capaz de acolher as queixas de todo cidadão que fosse vítima de injustiça ou de violação flagrante de seus direitos". Ela sustenta, com fervor, esse projeto na Organização da Unidade Africana (OUA) que não se opõe à idéia, em princípio. Será necessário tempo. E tempo é justamente o que falta a Vera Chirwa. Ela já tem mais de 70 anos e não pára de correr. O fôlego está sempre presente. É um pouco como se a pequena voz dessa grande dama nos murmurasse:

**"Unidade e liberdade,
é a divisa do Malaui,
esse sonho para o qual demos a vida
num dia de 1964".**

CHRISTINE C.
FRANÇA

o preço da liberdade reconquistada

por Hélène Jullien

"Ou você se curva, ou quebra."[11]

Essa jovem alta com casaco de couro e *jeans*, cabelos curtos, tem aparência de modelo. Vendo-a hoje, ninguém imaginaria que Christine tivesse saído de dez anos de inferno. Há alguns meses, ela teve coragem de deixar um marido violento, agressivo, que a atormentou, maltratou, denegriu, durante anos, fazendo com que ela fosse, pouco a pouco, ficando sem chão até cair em um estado depressivo. Esse homem sedutor e brilhante, a princípio, a fascinou, antes de se revelar destruidor e profundamente perverso.

Eles se conheceram, há mais dez anos, em Paris. Ela trabalhava em turismo; ele estava desempregado após vários anos trabalhando em publicidade. De vez em quando, expunha suas pinturas. Ela o achou inteligente, muitíssimo sedutor e logo caiu de amores pelo charme desse homem culto. Os dois tinham paixão por viajar e interesse por arte. "Estava fascinada, coloquei aquele homem num pedestal." Christine, que recentemente tinha sido demitida, decidiu, após alguns meses, alugar uma casa no sul da França, sua região natal, para se

11. De Rodrigo para sua mulher Dolores.

aproximar de François. Eles se viam todos os finais de semana. Mas depressa a bela história começou a enfrentar as primeiras dificuldades: "Quando eu tinha um desejo ou idéias, nada era bom. Ele dizia que eu me exprimia mal, me repreendia sem parar". Levada por seu companheiro, ela abandonou seu projeto de concluir o ensino médio e graduar-se. No começo, ela não se preocupou e interpretou suas constantes repreensões como forma de atenção. Pouco a pouco, contudo, a pressão aumentou. François passou a querer controlar tudo. Escolhia os livros para ela, suas roupas e jóias. Mostrava-se, a cada dia, mais possessivo e ciumento. "Eu tinha mais confiança nele do que em mim mesma", Christine, hoje, reconhece, "eu me deixava levar, mas ele não me deixava espaço". Não moravam juntos e encontravam-se apenas nos finais de semana. Ela reconhece que não conseguia entender o que estava acontecendo de fato. A trama de intrigas insidiosas tinha apenas começado: François denegria sistematicamente seu passado turbulento e a acusava de ser frágil e instável. Ela havia abandonado a casa dos pais aos 17 anos, pouco antes de concluir o ensino médio, para seguir seu primeiro marido, e depois entrou em depressão na época do divórcio. François a reprovava também por ter vivido sempre presa a homens que conheceu e nunca ter construído nada, "embora, naquela época, eu fizesse alguns trabalhos temporários e ele vivesse do salário-desemprego".

Cansados da agressividade permanente de François e de sua atitude com Christine – ele sempre a interrompia quando estava falando –, seus amigos, pouco a pouco, deixaram de visitá-la. Eles lhe diziam para reagir, para deixá-lo. Mas Christine continuava apaixonada por aquele homem com um perfil tão versátil: ele podia ser sedutor e engraçado nos dias bons, mas violento e detestável nos dias ruins.

Quando estava irado, adotava uma atitude extremamente ameaçadora: batia com a cabeça na cabeça dela, empurrava-a com os punhos cerrados pela escada. Após uma briga, dentre as inúmeras que tiveram, depois que ela finalmente adormecera, esgotada, ele veio acordá-la, colocando a luz em seu rosto e gritando: "Então, não tem mais nada a dizer". Essa falta de respeito, suas eternas variações de humor, suas ameaças e seus gritos desgastaram e desestabilizaram cada vez mais a jovem. Mas ela estava sob a influência desse homem que, apesar disso, "lhe dava medo". Trata-se de uma forma muito freqüente de violência conjugal e, segundo a primeira pesquisa francesa sobre a violência contra a mulher, realizada em 2000 pela ENVEFF[12], 24,2% das mulheres entrevistadas sofrem pressões psicológicas repetitivas e 7,7% são vítimas de assédio moral.[13] É na intimidade da esfera conjugal que as violências são mais significativas. Milhares de mulheres, de todas as condições sociais, sofrem no cotidiano ameaças verbais e físicas, além de espancamentos que, às vezes, as levam à morte. Na França, morrem seis mulheres por mês em decorrência de agressões. Nos quinze Estados da União Européia (antes da expansão), mais de 600 mulheres sucumbiam por ano, vítimas das contínuas crueldades sofridas.

Christine levou quase dez anos para conseguir, enfim, deixar o marido. Nas duas tentativas anteriores de separação, ele havia pedido perdão e prometera uma mudança, e ela acabou convencida a voltar.

---

12. Uma pesquisa realizada com um grupo de 6.970 mulheres entre 20 e 59 anos foi encomendada pelo Serviço dos Direitos das Mulheres e pela Secretaria de Estado do Direito das Mulheres.

13. Segundo o critério da pesquisa, as vítimas de assédio moral sofreram pressões psicológicas de três ordens: atitude denigritória, ações de controle (exigir saber com quem o outro estava, impedi-lo de falar com alguém...) e de autoridade (impor ao outro o modo de se vestir, de se pentear, de se comportar em público).

François, que enfrentava problemas profissionais e familiares, foi se tornando cada vez mais violento. Ele acabou aceitando a proposta dos pais de voltar a trabalhar com eles para desenvolver a rede de comunicação da empresa familiar. "Isso me parecia absurdo; eles não se entendiam bem. Eu disse: 'Você vai aceitar o passaporte para o inferno'." Uma previsão que se mostrou exata: François brigava freqüentemente com os pais, em particular com a mãe, que sempre foi muito dominadora e com quem sempre teve uma relação difícil e, às vezes, violenta.

Christine não estava bem e, numa noite de depressão, experimentou heroína. Logo passou a usar a droga nos finais semana antes que ele chegasse, para agüentar o tranco. Abandonou os estudos de arte na faculdade e ficou viciada na droga. Perdida e enfraquecida, acabou confessando que usava heroína, já que, havia meses, esse homem profundamente narcisista e afundado nos próprios problemas não havia percebido nem compreendido nada do mal-estar de sua companheira. Naquele momento ela aceitou morar com ele, e mudam-se para uma casa imensa, fechada havia muito tempo, próxima à residência dos pais de François. Para Christine era um novo começo. Uma vez mais, ela queria acreditar. Livrou-se da heroína, seguiu um tratamento químico e mergulhou no trabalho. Ela restaurou o assoalho da casa e a colocou em ordem. François não fazia nada e logo começou a insultá-la novamente. Aquele homem de aparência distinta, que gostava de "teorizar sobre tudo", podia, então, tornar-se repugnante e ignóbil; o carro passou a lugar privilegiado para os acertos de contas.

Ele adorava me amedrontar. Dirigia a 180 km/h. Eu me sentia refém dele e dizia para mim mesma: você vai morrer.

Alguns meses mais tarde, após uma nova tentativa de separação fracassada, ela engravidou. Ficou feliz, mas inquieta com a reação dele. Ele a tranqüilizou e pareceu contente: "Foi um momento em que ele estava a meu lado", ela diz, quase surpresa. Ela deu à luz gêmeos. Mas a calmaria foi breve, e a chegada dos bebês não melhorou nada o ambiente. Ele nunca se levantava durante a noite, não ajudava com as crianças. Retomou a empresa familiar e atravessou graves dificuldades profissionais. As atitudes violentas multiplicaram-se: ele a empurrava sem parar, socava suas pernas, empurrava-a pela escada. As crianças, já mais crescidas, assistiam, com freqüência, a cenas muito duras. "Uma vez, com dois anos e meio, minha filha disse a ele: 'Não empurre a mamãe'."

Christine entrou em depressão, "não tinha mais vontade de nada, não falava mais com ninguém, estava cada vez mais prostrada, sempre cansada". Ao falar de François, ela usa sempre a palavra "senhor", frisando com ironia a primeira sílaba, como se tentasse distanciar-se desse marido que ainda a fascina um pouco.

No Natal de 2003 tudo mudou. Após abrir os presentes, a família saiu para passear de carro. François estava de péssimo humor desde a manhã naquele dia. Christine estava angustiada. De repente, começaram uma briga do nada. Ela parou, eles andaram alguns metros. Ele a repreendeu aos gritos por ter escolhido um lugar sem sol. Pela primeira vez e, sem dúvida alguma, Christine responde no mesmo tom, aos gritos: "Chega, pare, você não está bem". Enfurecido com a reação dela, ele lhe deu uma cabeçada muito violenta, que a fez sangrar pelo nariz. Era um golpe a mais e, sem nada dizer, ela prestou a primeira queixa na polícia, com um atestado médico como prova. Seis meses depois, após uma cena terrível em que ele a puxou pelos cabelos, socou-a e insultou-a, ela "pegou os dois filhos e foi embora". Deixou tudo para trás: "uma vida confortável, uma linda casa...". A partir daí, iniciou-se um mês e meio de perambulações: com seus dois filhinhos de 3 anos, ela mudaria de casa sete vezes.

Decidiu voltar a morar em Paris, onde tinha amigos e esperava encontrar trabalho longe, muito longe de François. Uma assistente social lhe falou do Lar Louise-Labé, único centro especializado, em Paris, em vítimas de violência conjugal. Ela está hospedada lá, em um pequeno apartamento que divide com outra mulher.[14] Ela tentou se reconstruir e trabalhou sua história com a psicóloga do lar. Contudo estava sendo difícil virar a página, distanciar-se: "O passado está sempre mais presente do que o futuro". Seriam necessários, sem dúvida, meses para ela se encontrar e escapar totalmente da influência exercida durante anos pelo marido.

As mulheres chegam ao Lar Louise-Labé muito fragilizadas emocionalmente e permanecem ali, em média, dezoito meses, um período indispensável, segundo Catherine Valadaud, chefe de serviço, para recuperar a auto-estima e a autoconfiança, antes mesmo de vislumbrar meios para encontrar trabalho e moradia.

Para essas mulheres, a audiência de reconciliação, que sempre acontece nos seis meses seguintes à chegada ao lar, é um momento importante. O juiz declara a lei e, pela primeira vez, ***elas percebem que podem enfrentar os maridos, e a imagem de todo-poderoso deles cai.***

14. O lar mantém algumas habitações onde hospeda uma dezena de mulheres e seus filhos, como um abrigo de emergência.

Depois, trabalhamos com elas para que aprendam a dizer não, a se livrar da influência do companheiro.

Nessa associação, criada em 1983 por feministas – os movimentos feministas foram os primeiros a chamar a atenção para a violência considerada tabu por muito tempo, sob o pretexto de pertencer à esfera privada –, mais de 200 mulheres são acompanhadas durante um ano em sessões de aconselhamento. As mulheres estão muitas vezes desestabilizadas, e a associação lhe proporciona ajuda jurídica e acompanhamento psicológico. Algumas vão levar um ou dois anos para ter coragem de ir embora, pois essa ruptura também significa começar do zero: deixar a casa, o ambiente, o trabalho e a segurança de não ser encontrada. Muitas dessas mulheres não prestam queixa, algumas por se sentiram ligadas ao companheiro – 18% das mulheres vítimas de violências repetidas se dizem ainda apaixonadas –, outras por culpa. Entretanto, na associação elas são incentivadas a fazê-lo, pois, para se reconstruírem, primeiro precisam ser reconhecidas como vítimas.

Contrariamente a uma idéia estabelecida, a violência não está ligada à pobreza nem ao consumo de álcool, e os autores da violência estão em todas as classes sociais. "Se, em nossa rede de abrigos, a maioria das mulheres é imigrante e, com freqüência, de condição modesta, entre as 200 mulheres que entrevistamos, enfatiza Catherine Valadaud, 40% são empresárias. Segundo um relatório apresentado ao Conselho da Europa em Estrasburgo, em setembro de 2002[15] "a incidência da violência doméstica parece aumentar com a condição financeira e o nível de instrução". Assim, segundo esse relatório, nos

15. Relatório sobre violência doméstica, de Olga Keltosova.

Países Baixos, por exemplo, quase metade dos autores de atos de violência contra mulheres têm grau superior. O psicólogo Alain Legrand, presidente do SOS Violência Familiar, que faz acompanhamento terapêutico de autores de violência conjugal há mais de quinze anos, enfatiza que a quase totalidade desses homens sofreram esse tipo de violência, tanto como testemunhas quanto "diretamente envolvidos nas cenas de violência", e cresceram "em um ambiente agressivo". Para ele, esse recurso à violência resulta tanto de distúrbios da personalidade, notadamente ligados à falta de auto-estima, com freqüentes transtornos depressivos, como também de "reivindicações narcisistas" poderosas, que se manifestam de um modo agressivo, com desprezo e desvalorização do outro. Transtornos que se caracterizam ainda pela incapacidade de gerar e controlar as emoções e os impulsos.

Alguns meses após a separação, Christine continuou nervosa e angustiada. A falta de trabalho, o fato de não ter sua própria casa, o medo do futuro que a atormentava estavam constantemente presentes. Ela se preocupava muito com as relações futuras com aquele que continuaria a ser pai de seus filhos e que obtivera o direito à visita. Ela temia que ele manipulasse as crianças, ainda muito pequenas. Mas percebia também o caminho já percorrido: estava orgulhosa de ter conseguido deixá-lo, de cuidar de si mesma; Christine diz que voltou a sorrir e a rir. Tem vontade e energia para reconstruir um futuro para ela e seus filhos, longe de qualquer forma de violência e de relações de força devastadoras. Pediu o divórcio litigioso, pois quer que ele, enfim, assuma o que fez.

ANGELA DAVIS
ESTADOS UNIDOS

mulher, negra e comunista

por Aurine Crémieu

"No ardor de nossa luta pelos direitos humanos fundamentais, nós, negros, somos sempre convidados a ter paciência. Asseguram-nos de que, se conservarmos nossa fé na ordem democrática *existente*, **então virá a hora gloriosa em que nos tornaremos seres humanos completos."[16]**

Uma cabeleira afro emoldurando um rosto decidido; um olhar calmo com todos os índices da paixão que brota à flor da pele, negra. Hoje, sexagenária, Angela continua bela, algumas mechas brancas na farta cabeleira lhe conferem um ar de maior sabedoria. Mas não se engane! Quando ela está diante de um microfone ou de auditório, sua voz grave retoma o tom incisivo, como de George Jackson, no passado, e Mumia Abu-Jamal, no presente, contra a pena de morte ou "a indústria penitenciária". A presença constante em anfiteatros e o costume de falar para grandes platéias fizeram dela uma oradora hábil; uma mulher com um brilho singular que, quando sorri, revela os den-

16. Citação extraída de cartas e artigos escritos por Angela Davis enquanto estava na prisão do condado de Marin, em 1971.

tes cheios de certa felicidade. O segredo dessa força repousa em dois pilares: cultura e práxis. O primeiro lhe confere um domínio de conceitos teóricos; o segundo é uma noção herdada de seu mentor, Herbert Marcuse. Quando conheceu, na Universidade de San Diego, esse filósofo alemão que se refugiou nos Estados Unidos para fugir do nacional-socialismo, logo ficou seduzida por suas teorias. Era um homem fascinante, cujo pensamento vivo escapa da pura abstração. Ele foi aluno de Heidegger e desenvolveu, a partir de Hegel, a teoria de uma missão "subversiva" da filosofia, teoria que desperta nos indivíduos o desejo de um mundo melhor, obrigando-os a tomar consciência da distância que separa a realidade do ideal ao qual aspiram. Convencido de que o indivíduo deve rebelar-se contra o sistema para existir, Marcuse acreditava nas virtudes materiais da "práxis", tão cara a Marx. Ou seja, uma reflexão da prática humana que busca menos interpretar o mundo do que mudá-lo. Isso provoca um pensamento que oscila entre a ideologia e a filosofia, mas nos anos 1960 foi esse pensamento que agitou os estudantes norte-americanos. Angela estava entre eles e apostou na práxis como remédio à abstração. Entre a oposição à guerra do Vietnã, a era pós-industrial e a liberação sexual, os anos de juventude de Angela valorizavam muito uma palavra: Revolução. Desde esse tempo, Angela Davis não tem nenhuma dificuldade em misturar o amor pela filosofia aos engajamentos políticos. Hegel e Aristóteles de dia, panfletos e petições à noite. Mais que uma guerreira, é uma filósofa, e seus adversários lhe dirão que isso é bem mais perigoso.

Quando aderiu ao partido comunista e encontrou os Panteras Negras[17] em 1968, não sabia ainda que seria um ícone da luta pelos

17. Grupo de libertação dos negros fundado em Oakland (Califórnia) em 1966. Os Panteras Negras formaram, a princípio, milícias de autodefesa nos guetos e depois se organizaram como partido político.

direitos civis, que pôsteres dela cobririam paredes de quartos de adolescentes e de associações... Nesse momento, era ainda uma mulher instável, que chorava porque Martin Luther King acabara de ser assassinado. Foram mais de 100 mil pessoas nas ruas de Atlanta para acompanhar o funeral desse homem de paz. Angela estava com 24 anos e não tinha ilusões. Ela conhece bem a realidade dos negros dessa América racista e branca, pois vem de uma cidade simbólica, Birmingham, Alabama, ou seja, a cidade da segregação. O bairro onde cresceu é chamado de "Dynamite Hill" [Montanha de Dinamite] pelo número de casas de afro-americanos incendiadas com dinamite pela Ku Klux Klan.[18] Como muitas outras famílias negras, a família Davis estava cercada e submissa aos caprichos desses cruzados fanáticos. Ela poderia ser vítima da violência deles a qualquer momento, e a única solução era deixar aquela cidade amaldiçoada. Foi o que a mãe de Angela fez, levando-a embora, num grande passo ao desconhecido: Nova York. Que mudança radical! Lá tudo é feito para que o espírito se abra ao mundo e a consciência se apure. Na escola progressista de Greenwich Village, Angela descobriu que os negros não eram os únicos desprezados da América. Vários de seus professores haviam passado pela fogueira da caça às bruxas do maccarthismo.[19] Segregados, é preciso cerrar fileiras! Nas conversas familiares ou nos jantares entre amigos, os temas eram sempre o comunismo, a justiça,

18. Sociedade secreta racista fundada logo depois da Guerra de Secessão. Muito violenta, a KKK foi proibida em 1877 e recriada em 1915. Seus membros advogam a supremacia branca e cometem atos de intimidação, represálias e assassinatos contra negros.

19. De Joseph McCarthy, senador norte-americano que encorajou, nos anos 1950, uma política de delação e de perseguição contra personalidades simpatizantes do comunismo.

a revolução a empreender, e Angela teve tempo para ir formando sua opinião. Mesmo identificando claramente os opressores e as vítimas, ela não quis se lançar na batalha imediatamente. Aos 20 anos, e contra toda esperança, escolheu estudar francês e filosofia.

Humanismo, universalismo... os ismos das Luzes a ligavam à Europa. Ela foi para a Universidade de Sorbonne,[20] para Paris, depois para a Alemanha, a Universidade Goethe, de Frankfurt. Três anos de felicidade. Ela descansou do fantasma da segregação racial com o fervor intelectual do Velho Mundo e de seus brilhantes filósofos e teve tempo de passear, com prazer, em Saint-Germain-des-Prés, pelas bibliotecas e galerias de arte, e para viver diferentes experiências. Em 1963, ela ainda estava na Europa quando o ódio do Ku Klux Klan a alcançou. Em Birmingham, sua cidade natal, quatros jovens negras, que Angela conhecia, foram mortas na explosão de uma igreja batista. Ela tinha acabado de obter uma bolsa para continuar os estudos em Frankfurt, mas sentiu que, do outro lado do Atlântico, a luta de seus "irmãos" era um desafio mais importante. Voltou e mergulhou nos estudos e os filósofos lhe ensinaram que o conhecimento alimenta também as armas da revolta. À tirania do homem branco norte-americano ela queria opor a inteligência de uma mulher afro-americana. De volta a San Diego, visitou Herbert Marcuse, que aceitou trabalhar com ela. A oposição à guerra do Vietnã provocou ira, e a luta pelos direitos civis se radicalizou com a emergência do *black power.* Angela colocou a práxis à prova dos fatos. Tornou-se responsável pelo curso de filosofia da famosa Universidade da Califórnia, em Los Angeles, e ali organizou o movimento negro, participando das reuniões da célula Che Lumumba do partido comunista. No ambiente paranóico que reinava

20. A Universidade da Sorbonne está situada em Paris (N. da T.)

então nos Estados Unidos, não era raro que as autoridades se infiltrassem nas universidades. Um dos alunos de Angela era membro do FBI (Federal Bureau of Investigation) e não demorou a denunciá-la. Ronald Reagan, então senador da Califórnia, pediu uma investigação sobre seu caso e, como ela não negou sua ligação com o partido comunista, foi expulsa da universidade. Dali em diante o serviço de informação estaria sempre de olho nela. Na mesma época, Edgar Hoover, então diretor do FBI, decidiu reforçar a repressão contra os Panteras Negras.

Com freqüência, sobrevivemos à custa de nossa capacidade de forjar meios eficazes de resistência. Às vezes, a resistência nos levou a violar abertamente as leis, o que, direta ou indiretamente, deu força à nossa repressão.[21]

Sua vida não teria sido a mesma se não tivesse encontrado os Panteras Negras. Ela não teria vivido, por exemplo, essa misteriosa história de amor com George Jackson nem, talvez, teria de escrever em uma cela de prisão. Um amor que oscilou, ainda hoje, entre o mito e a realidade; ninguém a não ser Angela sabe, de fato, o que se passou entre ela e George. Quando o viu pela primeira vez, ele estava algemado em um tribunal. Aos 28 anos, ele havia passado onze anos na prisão por ter sido cúmplice num furto de 70 dólares de um posto de gasolina. A correspondência entre Angela e George formou um tratado político da reflexão acerca do *black power* da época. Para Angela, George foi vítima de um erro judiciário – e ela não era a

---

21. Cf. nota p. 56.

única a pensar assim –, mais uma vítima da máquina de esmagar negros e pobres que é o sistema carcerário norte-americano, o qual ela qualifica "de indústria da punição". Para Angela, o sistema era, e continua a ser, a grande vergonha dos Estados Unidos. George Jackson seria logo libertado, mas a questão dos irmãos de Soledad o atropela e arrasta Angela em sua engrenagem.

Obra maquiavélica do FBI ou simples tentativa de fuga fracassada, a história permanece sem solução e é tida como exemplar. Em 1970, George e outros dois detentos da prisão de Soledad, Fleeta Drumgo e John Clutchette, foram acusados pelo assassinato de um guarda da prisão e poderiam ser condenados à morte. Estranhamente esses três homens são integrantes dos Panteras Negras e "foram acusados do assassinato do guarda não por serem culpados, mas porque a direção queria colocar um fim a suas atividades políticas na prisão". Um comitê de defesa foi imediatamente constituído, e nessa época Angela se tornou amiga de Jonathan Jackson, irmão mais novo de George. Tudo ocorria em grande velocidade. No mês de agosto, um processo no tribunal do condado de Marin com certeza condenaria os três homens, quando Jonathan organizou uma ação para libertá-los, seqüestrando o juiz, o procurador e um jurado. Seguiu-se um enorme tiroteio, um juiz branco e quatro negros, entre eles Jonathan, morreram. Angela, cuja ligação com George era conhecida, foi acusada de ter fornecido armas para Jonathan, e alguns documentos mostravam que tinham sido registradas em seu nome. Ao saber do mandado de prisão, a primeira reação de Angela foi fugir. Foram semanas de perseguição sem descanso nos Estados Unidos, o que a tornaria uma espécie de heroína dos bandidos. Houve inúmeras mensagens de solidariedade a seu favor de todos os cantos do país. Ela integrava a lista das dez pessoas mais procuradas pelo FBI e, após ter enganado todos os policiais que a perseguiam, Angela foi finalmente presa em um motel de Nova York e lançada numa prisão feminina, sob a acusação de assassinato, seqüestro e conspiração. Em outra prisão da Califórnia, um guarda fuzilou, à queima-roupa, George Jackson.

Nascia um ícone. Fotos de Angela Davis circularam no mundo inteiro, comitês exigiam, em toda parte, a libertação imediata de Angela. O rosto obstinado com o penteado afro tornou-se o símbolo da luta dos negros norte-americanos, com o mesmo peso de Che Guevara ou Gandhi. A campanha internacional em sua defesa fez tanto barulho que influiu em seu processo, que logo se tornaria um fenômeno da mídia. O processo termina com a absolvição de todas as acusações, mas ela teria passado dezesseis meses na prisão, vivendo o inferno penitenciário. Libertada em junho de 1972, Angela tem muita necessidade de aproveitar a liberdade. Para agradecer a todos aqueles que a apoiaram, ela fez uma pequena volta ao mundo: Alemanha, Cuba, Chile, França, ex-União Soviética. Foi recebida como rainha no bairro parisiense Quartier Latin, no Kremlin, encontrou Neruda e Aragon... A defesa dos prisioneiros políticos tornou-se seu juramento de Hipócrates. Como professora de filosofia e ciência política, decidiu, enfim, escrever seu primeiro livro, *If They Come in the Morning*, um ensaio de resistência sobre a opressão racial dominante nos Estados Unidos.[22] Por provocação, Angela sempre gostou de se apoiar sobre um princípio enunciado por Abraham Lincoln durante um célebre discurso contra a escravidão: "É dever do povo derrubar o governo quando esse governo não escuta mais suas necessidades".

22. Traduzido para o francês com o título *S'ils frappent à l'aube*, Gallimard, 1972. (Témoins).

Se fosse assim! A tradição revolucionária norte-americana venceu. Longe de se tornar sábia por sua passagem pela prisão, é uma mulher que amadureceu na rebelião. Para aqueles que permaneceram atrás das grades, ela fundou a Aliança Nacional contra o Racismo e a Repressão Política, uma organização que hoje se mobiliza pela defesa de Mumia Abu-Jamal, outro Pantera Negra! Preso pelo suposto assassinato de um policial, esse jornalista, contra quem a Justiça não tem nenhuma prova concreta, há 23 anos está no corredor da morte. Sua execução foi adiada duas vezes, mas pode ocorrer a qualquer momento. Desde o momento da prisão, ele nunca parou de escrever e de clamar a inocência. Para Angela, a democracia norte-americana está sofrendo, e a luta é mais que nunca necessária, pois o sistema é, a seus olhos, bem mais perverso hoje do que nos anos 1970. "Militar é precisamente um modo de devolver o que lhe deram, de não se considerar um indivíduo que já cumpriu alguma coisa, mas sim fazendo parte de um movimento histórico vivo."[23] Há mais de quarenta anos em campo e nos anfiteatros, Angela não recuou um milímetro de sua divisa fundadora: a filosofia à prova dos fatos. Seus cabelos em revolta encimando duas bolas de gude negras fazem agora parte do patrimônio norte-americano. A ironia disso tudo diverte, muito, aliás, a antiga inimiga publica número um. À pergunta "Você é radical?", Angela Davis retruca: "Tente pedir a uma mãe que seja moderada ao tirar o filho de uma casa em chamas".

---

23. Entrevista para *PBS Frontline*, em 10 de fevereiro de 1998.

VIVIANA DIAZ
CHILE

em nome do pai

por Aurine Crémieu

"Eles tinham arlequins e polichinelos, palhaços aos montes, terroristas matadores e carcereiros, capuzes sem consciência e militares aviltados. Todos giravam no carrossel do desprezo."[24]

Ela começa sempre assim:

Eu me chamo Viviana Diaz, filha de Victor Manuel Diaz Lopez, preso e desaparecido em 12 de maio de 1976.

Incansavelmente, há mais de trinta anos, mães, filhas, irmãs das vítimas da ditadura militar chilena apresentam-se desse modo. Nem uma semana se passa sem que Viviana deixe de pensar no pai, Victor Diaz, o "desaparecido". Quando sai para ir ao tribunal, a um encontro ou a uma manifestação, ela prende em sua camisa o rosto desse homem, o bigode fino e o olhar que transborda do retrato. Uma

24. Pablo Neruda. *J'avoue que j'ai vécu*, Gallimard, 1987.

foto grande, um pouco gasta, que não a deixa nunca, em preto-e-branco, plastificada: a foto do ausente. Procurar um morto, um vivo, um corpo, um nome em uma lista, a menor pista, por mais tênue que seja. Não tem nada pior, ela lhe dirá, do que não saber. Mesmo tendo sonhado tanto com o dia em que Augusto Pinochet seria preso e julgado, mesmo quando esse dia, enfim, chegou e deu sentido à vida que escolheu, Viviana, com 54 anos, não estava nunca segura da verdade. Pinochet, que teria de responder por alguns de seus crimes diante da Justiça chilena, negaria tudo. Essa é a estratégia que ele sempre adotou e, com 89 anos, havia poucas chances de o ditador pedir perdão às vítimas. Há alguns anos, foram os militares que revelaram alguns nomes: uma lista de prisioneiros políticos que teriam sido jogados ao mar por helicópteros do Exército. Se estavam mortos ou vivos, ninguém sabe. Victor Diaz estava a bordo de um deles? O Exército diz que sim, mas esse mesmo Exército já mentiu muito. Foram encontradas ossadas de alguns homens supostamente jogados ao mar em um dos ossuários em torno de Santiago. No que acreditar então? Trinta anos não foram suficientes para cicatrizar as feridas, para resolver perguntas sem respostas, para dar aos ausentes a dignidade de uma morte conhecida, documentada. Viviana ainda não terminou sua missão. Sua vida privada estará sempre ligada a essa busca da verdade, em nome de um pai que amava tanto. Como constituir uma família quando falta a maior peça do quebra-cabeça de sua própria identidade?

Victor Manuel – esse pai – era um homem respeitado, um sindicalista e homem de esquerda, tinha acabado de ser nomeado o segundo membro mais importante do partido comunista chileno. Era 1971. Aos três filhos, ele transmitia valores como fraternidade, solidariedade, engajamento e, em sua casa, a atualidade política e social era comentada com entusiasmo. O irmão menor de Viviana, que tinha apenas 13 anos, já vibrava com o ritmo dos engajamentos paternais. Na verdade, todo o país vibrava nesse começo dos anos 1970. Na Universidade do Chile, um dos lugares mais politizados de Santiago, Viviana iniciava o quinto ano de estudos para lecionar alemão. O maldito setembro de 1973 lhe cortaria as asas. Não há momento ideal para o caos, mas é ainda mais amargo quando ele surge com toda uma vida pela frente, a emoção dos primeiros amores e a utopia de mudar o mundo. Com a poesia de Neruda que emociona e o olhar calmo de Allende que assegura. Todas as esperanças eram então permitidas sobre esse quinhão de terra que não pára de se expandir até o cabo Horn. Um poeta e um homem político, promovidos a guias espirituais de toda uma geração, acabavam de encerrar um pequeno milagre: romper o isolamento do Chile. O mundo os observava, curioso por essa aventura social única no gênero na América Latina. Operários, mineradores, intelectuais e estudantes, de mãos dadas, cantavam:

"El pueblo unido jamás será vencido".

O povo unido jamais será vencido! E na casa de Diaz, em Santiago, o "povo" não era uma palavra vazia; o capitão a bordo acreditava em sua unidade e em seu futuro.

Desde do desaparecimento de Diaz, as paredes se calaram. É a mesma casa, no mesmo bairro de San Joaquin, mas nada é igual. Viviana não teria, sem dúvida, mudado nada aqui se Victoria, sua irmã mais velha, não tivesse começado alguns trabalhos de reforma. Jamais passou pela cabeça deixar esse lugar que vibrava antes de tanto amor familiar. No começo, era para o caso de ele voltar; após a clandestinidade, a prisão, talvez o libertassem e tudo seria como antes. Ele não reapareceu. Pior, ele foi classificado como "desaparecido", o crime final do regime Pinochet. Em seguida, Viviana cuidou de Selenisa, sua mãe... que também morreu. Ela vive com as lembranças, cercada de vizinhos a quem chama pelo primeiro nome e do quadro gigante de Victor pintado em uma das fachadas da casa. Na verdade, para Viviana Diaz é um pouco como se o tempo tivesse parado em 12 de maio de 1976. Desde então, ela se ocupa de uma única coisa: conhecer a verdade e obter justiça. Ela lembra:

No começo, minha mãe e meu irmão menor faziam as caminhadas de busca. Iam várias vezes por semana a Vicaría de la solidarida.[25] Não fui de imediato, convencida de que meu pai reapareceria como outros tinham aparecido após vários anos de detenção.

A esperança alimentava muitas mulheres, a tal ponto que esposas, mães ou filhas guardaram durante anos roupa de cama limpa e passada para a eventual "volta".

Durante esse tempo, ao contrário, a ditadura militar endurecia. No final de 1976, Pinochet mandou fechar todos os campos de concentração oficiais, e alguns detentos foram libertados, mas os

---

25. No dia seguinte ao golpe de Estado de 1973, a Igreja iniciou um serviço de solidariedade para registrar e tratar as vítimas de violações dos direitos do homem. La Vicaría criou dossiês sobre as pessoas presas ou consideradas desaparecidas e assegurou a proteção de suas informações até o fechamento do serviço em 1992. Todos os seus arquivos colocados à disposição das famílias, juízes e advogados são hoje fundamentais para o avanço da justiça.

dissidentes políticos foram todos executados. Viviana e sua família ainda não sabiam. Uma testemunha libertada de um campo lhes contou que tinha visto Victor, em péssimas condições, em Vila Grimaldi. Descobriram que essa moradia burguesa de Santiago tinha se transformado em um dos centros de tortura mais temíveis da junta, um lugar de pesadelo que esmaga os sonhadores do "povo unido". "Venho seguir os passos de meu pai que passou vários meses aqui. Imagino os sofrimentos que teve de enfrentar, seus gritos sob tortura. É daqui que ele desapareceu definitivamente", conta Viviana, que perambula sozinha pelas ruas, agora verdejantes, da Vila Grimaldi. Alguns chilenos não conseguem voltar a esse lugar assombrado pelos sofrimentos de seus familiares. Ela se obriga a isso para não esquecer. Pinochet devastou a Vila para, em 1985, apagar todos os vestígios e, desde então, o lugar foi cedido às famílias das vítimas como lugar de memória; sóbrios mosaicos lembram a localização das celas e das salas de tortura em que submetiam prisioneiros a choques elétricos. Uma parede escura enumera os homens e as mulheres que por ali passaram; o nome do pai está gravado em cima: Victor Manuel Diaz Lopez. Um homem entre os Homens. Segundo dados oficiais, 3.197 pessoas desapareceram dessa forma durante os anos de chumbo da ditadura. Desde o golpe de Estado de 11 de setembro de 1973, a junta ordenou a prisão de milhares de opositores políticos. Um regime de terror instalou-se por dezessete anos. Do Palácio de la Moneda, bombardeado, Salvador Allende dirigiu-se uma última vez ao povo chileno antes de disparar uma bala em sua cabeça. A morte, mas não a rendição. Neruda deixava o país alguns dias depois, e Victor Diaz entrava na clandestinidade antes de ser preso e tornar-se o fantasma da família Diaz.

Após tudo isso, não foi mais possível estudar. Viviana começou pequenos trabalhos com a irmã para sustentar a casa. Selenisa envelheceu e enfraqueceu, e o irmão menor fugiu do país. Foi nessa época que as famílias enlutadas começaram a se organizar. Fundaram a Agrupacion de Familiares de Detenidos Desaparecidos (Associação dos Familiares de Presos Desaparecidos) e dedicam a vida a reencontrar os parentes exigindo justiça. Há trinta anos, é como um pacto que ligaria todas essas mulheres e lhes proibisse, implicitamente, de refazer a vida antes de terem atingido seu objetivo. Para Viviana, o pacto não foi rompido. Ela não se casou, renunciou a ter filhos e transformou-se em militante obstinada. Ela vivia com pouco e só voltava para casa para dormir, e explorava todas as pistas possíveis para tentar obter uma justiça improvável. Uma tarefa obstinada, teimosa, que estruturou o dia típico da filha de Victor. Os anos passaram, a associação tornou-se sua família, e ela encontrou forças para desafiar as autoridades injustas do governo Pinochet. Essas mulheres não têm mais nada a perder. Elas fizeram greves de fome, subiram nas grades das embaixadas "porque os policiais não podem nos prender em zona internacional". Nas ruas, desfilavam sem descanso brandindo as fotos dos ausentes e conheceram canhões de água, gás lacrimogêneo, projéteis e insultos. À pergunta simples dessas mulheres "Para onde foram nossos desaparecidos?", os policiais respondem com uma manifestação de força digna de uma guerra civil. Na época, Pinochet falava, aliás, de uma "guerra interna". Com o apoio da propaganda de apoio, esse argumento manteve uma parte do povo chileno na ilusão de que a repressão é um mal necessário à paz civil. Sabe-se, hoje, que nunca existiu guerra interna no Chile nos anos 1970, apenas carrascos, vítimas e aqueles, muito numerosos, que não queriam ver. Curiosamente, o que mais marcou Viviana não foram nem os golpes, nem as noites em vigília, mas o desprezo, "durante anos, enquanto pedíamos notícias de nossos parentes, tratavam-nos como mentirosas, contadoras de histórias. Diziam-nos que nossos pretendidos 'desaparecidos' tinham fugido com outras mulheres e deviam rir ao nos ver inquietas por eles". Maridos levianos ou frouxos no exílio, era assim que as autoridades apresentavam os homens a quem tinham torturado e depois assassinado.

Hoje deixam, quase com indiferença, essas mães, irmãs, filhas se manifestarem. Não as mandam para seus lugares, e alguns reconhecem que Santiago não seria de fato Santiago sem os gritos e os *slogans* dessas mulheres, martelados nas ruas. Os jovens chilenos olham, admirados, essas mulheres um pouco envelhecidas brandir as fotos com a mesma vontade de trinta anos atrás. *Donde están?* Onde estão nossos mortos?

Esse país nos deve a justiça. Temos o dever de deixar viva essa memória dos anos de trevas do Chile para ajudar os jovens a defender a democracia, para que isso nunca mais aconteça.

Nunca más! Eis o que mantém agora a flama do combate. E isso vale a pena. Já que, após anos de dúvidas e de indiferença geral, veio o tempo de esperança: um mandado de prisão contra Augusto Pinochet emitido em 21 de dezembro de 2004. Já quando o juiz espanhol Baltazar Garzon tinha mandado prender Caudillo no ano de 1998, em Londres, e pedido sua extradição pelos crimes contra a humanidade e torturas, Viviana e todas as famílias de vítimas tinham sentido a vitória próxima. Era um fato sem precedentes na história judiciária; a primeira pedra de uma justiça internacional que seria um dia capaz de pedir contas aos torturadores, quem quer que sejam. Ainda que fosse só por esse momento, Viviana não se arrependeu de nenhuma de suas escolhas. Sua única mágoa, talvez, é de que sua mãe tenha morrido sem ter visto isso. Esses últimos anos foram cheios de emoções e de viagens ao exterior. Como presidente da associação, a ONU a recebeu em Genebra, ministros a congratularam por sua obstinação, Sting, o astro inglês, dedicou à associação uma música veiculada no mundo todo que popularizou sua busca pela verdade.[26] Com a foto de Victor sempre pregada nas roupas claras e os cabelos bem penteados para trás, Viviana está, agora, mais serena. Ao menos, a justiça de seu país está em marcha e não lhe envergonha mais. Ela deixou o cargo de presidente da associação e agora ocupa o de secretária-geral, mas continua a pegar, todas as manhãs, o ônibus de San Joaquin para ir ao pequeno escritório da associação. Ali, ela encontra Mireya, Ana, Teresa... todas voluntárias e inteiramente dedicadas à mesma causa. Elas bebem um cafezinho para começar e atacam as pilhas de dossiês que são mais queixas e provas contra o ditador e sua corja. Datas, horas exatas, lugares, roupas usadas, autópsias, ossadas descobertas, tudo ali é escrupulosamente arquivado. Enquanto as ossadas da junta não tiverem revelado todos os seus segredos, enquanto os responsáveis não tiverem pedido perdão, Viviana não romperá o pacto que um dia fez com esse homem – Victor Manuel Diaz Lopez, esse pai formidável.

---

26. *They dance alone/Ellas dansan solas/Elas dançam sozinhas.*

ITA FATIA NADIA
INDONÉSIA

corpos despedaçados: o estupro como arma de guerra

por Hélène Jullien

"Eles diziam que quanto mais me violentassem, mais seriam homens e mais subiriam na hierarquia."[27]

A vida de Ita Fatia Nadia mudou em 1988. Essa pequenina mulher de 45 anos, militante dos direitos humanos e das questões femininas na Indonésia, foi a testemunha horrorizada das revoltas anti-China de 1998, que eclodiram no momento da queda do ditador Suharto.[28] Ela levou socorro a mulheres, adolescentes e meninas violentadas pelas forças armadas; algumas morreram em seus braços. Esses fatos a marcaram para sempre e, desde então, ela luta para denunciar todas as violências endêmicas que atingem as mulheres em seu país.

27. Sange, jovem congolesa, criança-soldado em Maï Maï, depois capturada e incorporada às forças do RDC – Goma.

28. Em março de 1967, o general Suharto tornou-se chefe de Estado interino. Um ano depois, tornou-se o segundo presidente da República da Indonésia e instaurou um regime dito de "Ordem Nova", que se apoiava nos militares e no progressivo embargo da economia nacional realizado pelo clã Suharto. Esses anos de ditadura foram marcados por inúmeras violações dos direitos do homem.

Em 1998, o regime do presidente Suharto agonizava. A crise econômica que atingia todo o sudeste asiático desde o verão de 1997 abalava essa ditadura que dominava o país, com mão-de-ferro, há mais de trinta anos. As reformas preconizadas pelo FMI penalizaram as populações mais pobres, provocaram graves agitações sociais e amplificaram a revolta estudantil. Em maio de 1998 houve motins em todo o território, provocando a morte de quase 1.200 pessoas e a deposição do ditador. Milhares de lojas, hotéis, postos de serviço e prédios administrativos foram saqueados, destruídos e incendiados. Os comerciantes chineses,[29] que se tornaram bodes expiatórios, seriam particularmente visados. No bairro chinês de Glodok, em Jacarta, houve saques acompanhados de estupros.

Nessa época, Ita Fatia Nadia era uma das responsáveis da Associação Kalyanamatra, que presta auxílio a mulheres em dificuldades. Em 13 de maio, ela foi chamada às pressas à casa de duas jovens chinesas de 18 e 21 anos violentamente mutiladas. "Os estupradores cortaram-lhes os seios, e elas tinham o corpo coberto de sangue. Estavam estendidas na cama, inteiramente nuas." Petrificada de horror, Ita cobre, com um gesto patético, as feridas de Bétadine, depois pede ajuda a um amigo, padre católico. Decidiram levar as duas jovens ao hospital mais próximo, mas descobriram, com assombro, que se recusavam a admiti-las por causa da nacionalidade. Outro hospital aceita apenas prestar os primeiros socorros, antes de lhes pedir que deixassem o local. Eles conduziram as jovens até o aeroporto, com destino a Singapura, para que lá fossem devidamente cuidadas. Ao voltarem para Jacarta, descobriram que os indonésios estavam parando todos

29. Os chineses representam apenas 3% da economia indonésia, mas detêm uma grande parte do comércio do país.

os carros. Se encontrassem mulheres chinesas, forçavam-nas a se despir e as estupravam. Mais de cinqüenta mulheres seriam vítimas desses estupros, violências sexuais que visavam atingir o coração da comunidade chinesa.

Ita queria alertar a comunidade internacional e, por meio de sua associação, tentou reunir o máximo de informações sobre as vítimas e as circunstâncias das agressões. Mas o governo, que não queria sua imagem maculada no exterior, ameaçou a associação e ordenou que interrompesse as atividades.

Uma granada foi lançada contra o escritório da direção. Os serviços de informações do exército foram à casa de Ita exigir que ela fornecesse o nome e o endereço das mulheres agredidas. Ela se recusou e alguns dias depois recebeu telefonemas ameaçadores de um homem: "Aquele homem conhecia tudo sobre meus dois filhos: o nome, a escola onde estudavam, o horário de entrada e saída e até detalhes dos uniformes deles". Muito preocupada, Ita tomou medidas de proteção para os filhos, mas decidiu não ceder à chantagem e continuou seu combate. Várias cartas anônimas foram enviadas também à população chinesa, ameaçando-a de assassinato e estupro, destinadas a semear o terror nessa comunidade para que guardasse silêncio e deixasse o país.

Uma comissão de investigação independente,[30] formada dois meses após os saques, concluiu que os militares permitiram a ação dos estupradores e o agravamento da crise para justificar, em seguida, a utilização dos poderes especiais e a declaração de medidas de urgência. Pressionado pelas associações femininas que denunciavam

30. A comissão de investigação TGPF dirigida pelo vice-presidente da Komnas Ham, Comissão Nacional dos Direitos Humanos, era composta de seis representantes do governo do novo presidente Habibie e por treze membros da ONG.

a passividade dos poderes públicos diante das violências sexuais, o novo presidente Habibie nomeou em julho de 1998 uma Comissão Nacional da Violência contra as Mulheres, da qual Ita Fatia Nadia era integrante.[31]

Esse sinistro episódio da história indonésia não era isolado. "Todos os regimes autoritários utilizaram violência contra as mulheres, os estupros eram um meio de aterrorizar as comunidades, como em Papua-Nova Guiné, em Aceh, no Timor." As mulheres são, assim, duplamente vítimas: elas sofrem descriminações e violências ligadas à origem étnica e ao sexo. Com seus 200 milhões de habitantes, suas 300 etnias e 600 línguas e dialetos, o imenso arquipélago indonésio é freqüentemente sacudido por reivindicações separatistas. Essas reivindicações cedem sempre lugar a uma severa repressão militar, repleta de violências contra os civis, acusados de sustentar os movimentos de guerrilha. Seja na Indonésia, no Congo, na Bósnia, no Afeganistão, em Serra Leoa, na Colômbia... as mulheres são há muito tempo o alvo predileto nos conflitos armados. Um relatório da Anistia Internacional[32] destaca que, com freqüência, no exército, "a agressividade do homem para com a mulher é tacitamente tolerada, até mesmo encorajada", os jovens recrutas são "transformados em 'guerrilheiros' endurecidos por um treinamento desumanizador".

Auxiliada por uma rede de associações asiáticas, Ita conseguiu, finalmente, alertar a relatora especial sobre a violência contra as mulhe-

31. A comissão era composta de militantes dos direitos do homem, universitários, profissionais de saúde e chefes religiosos. Abrangia representantes de Aceh, de Iran Jaya e do Timor Oriental.

32. Cf. o relatório da Anistia Internacional: "Vies détruites, corps brisés: halte aux crimes contre les femmes lors des conflits armés" [Vidas destruídas, corpos despedaçados: parem os crimes contra as mulheres nos conflitos armados].

res, Radhika Coomaraswamy, de Sri Lanka. Enviada ao local pela ONU, ela se encontrou com vítimas chinesas em Jacarta, depois em Papua Nova-Guiné, no Timor e em Aceh. Na ocasião, descobriu que, em toda parte, os métodos empregados pelas forças armadas eram idênticos. "Eles utilizavam fios elétricos, cobras para estuprar as mulheres." Em seu relatório, ela ressaltou que "os casos de violência sexual proliferam, mas que suas vítimas ficam em silêncio, aterrorizadas pelos atos de intimidação e as ameaças anônimas". Após anos de regime autoritário e com um sistema judiciário enfraquecido, as vítimas, com freqüência destruídas, aniquiladas, não ousam apresentar queixa.

Essa violência é também utilizada para sufocar movimentos de contestação, lembra Ita.

O corpo da mulher tornou-se o instrumento mais eficaz para sufocar conflitos e toda forma de resistência.

Foi dessa forma que, após a tentativa de golpe de Estado contra Sukarno,[33] as militantes consideradas "esquerdistas" ou membros do partido comunista foram agredidas e estupradas. Na Papua-Nova Guiné, as mulheres que se tinham sindicalizado e se oposto às multinacionais que exploram minerais na ilha também sofreram abusos sexuais. O subsolo da Papua-Nova Guiné (que passou a ser território indonésio em 1963, sob o nome de Iran Jaya[34]), possuía, com efeito,

33. Após uma tentativa de golpe de Estado contra o presidente Sukarno, imputado ao partido comunista indonésio (o PKI), o general Suharto, chefe do Estado-Maior do exército, assumiu o poder. Nos últimos meses de 1965, com o apoio dos Estados Unidos, o general empreendeu uma verdadeira caça aos comunistas. Mais de 500 mil pessoas suspeitas de pertencer ou ser próximas ao PKI foram assassinadas.

34. Em 2002, a ilha passou a se chamar Papua-Nova Guiné.

imensas riquezas naturais, entre elas a maior mina de ouro a céu aberto do mundo, explorada pela companhia norte-americana Freeport. Para explorar essas minas, as multinacionais expropriaram terras ancestrais dos milhares de papuásios e destruíram o meio ambiente da região. Em oposição a esse saque organizado de seus recursos naturais, foram criados movimentos de resistência em Papua Nova-Guiné. No curso das operações levadas contra a guerrilha separatista, o exército, que protegia os interesses dos grandes grupos, foi responsável por vários tipos de violência contra as populações civis.

Formada em História, Ita debruçou-se sobre as raízes dessa violência sexista. Descobriu que as forças de ocupação japonesas tinham praticado o mesmo tipo de violência sexual durante a Segunda Guerra Mundial não só na Indonésia, mas também na China e nas Filipinas. Práticas que se perpetuaram há mais de cinqüenta anos pela total impunidade de que desfrutavam as forças armadas. Seis anos após a queda do ditador Suharto, "os oficiais responsáveis por abusos e os responsáveis pela alta administração do antigo regime permanecem em seus postos" e as esperanças de mudança levantadas pela fase de transição viram-se frustradas pela falta de profundas reformas. A Anistia denunciou "a falta de proteção legal, as deficiências do sistema judiciário, a corrupção, a educação precária e a ausência de controle da polícia e do exército" bem como a persistência "de discriminação fundada no sexo, na origem étnica e na religião".[35]

Para Ita, a sociedade civil deveria contribuir para redefinir o papel da mulher na Indonésia, pois essas violências inscreveram-se em práticas seculares de discriminação. O papel das mulheres, seu lugar na

35. Declaração pública de treze diretores e diretoras das seções da Anistia Internacional da região Ásia Pacífica de 10 de março de 2004.

sociedade, foi até muito precisamente codificado sob o governo Suharto. O regime da Nova Ordem tinha definido quais deveriam ser os diferentes papéis da mulher. A princípio, ela era esposa e mãe, depois responsável pelas tarefas domésticas e só depois reconhecida como cidadã. Uma situação que não evoluiu depois da queda de Suharto, já que as leis discriminatórias em relação à mulher não foram abolidas. Segundo Ita, era preciso, com urgência, modificar a legislação para que protegesse a mulher contra toda forma de violência, até mesmo a violência doméstica, e alterar seu estatuto na família.

As noites de Ita eram sempre assombradas pelos momentos de horror que viveu: "Nunca poderei esquecer a pequena Francisca. Ela tinha 11 anos e foi estuprada por quatro homens. Sangrava muito e, antes de morrer, pegou minha mão. Sua irmã morreu após ter sido estuprada por sete homens, sua mãe morreu e vi Francisca falecer bem diante de meus olhos". Ita retomou várias vezes o fôlego, como se as palavras tivessem sido estranguladas no fundo de sua garganta. Esgotada, decidiu, em novembro de 2003, passar alguns meses na Holanda, para uma pausa, com o objetivo de "viver normalmente, distanciar-me um pouco" de tudo aquilo. Pouco antes de ir para a Europa, ela foi a uma província de Aceh, em que a lei marcial foi decretada em 2003.[36] Uma vez mais, as operações militares que foram lançadas contra o Movimento para o Aceh Livre (GAM) não pouparam os civis submetidos a execuções, torturas, mudanças maciças de populações e violências sexuais. Em Aceh, Ita encontrou uma mulher que foi estu-

36. A lei marcial foi substituída em maio de 2004 por um estado de emergência civil. Desde a instauração da lei marcial, as arbitrariedades contra os civis se multiplicaram. O exército prendeu milhares de pessoas suspeitas de apoiar a rebelião. O movimento para Aceh livre resultou em um grande número de reféns.

prada por um militar que ela conhecia. A mulher explicou que seria impossível denunciá-lo:

Tenho de me calar porque, se falar, meu pai e minha irmã serão assassinados, e minha cidade será bombardeada.

Ita também encontrou meninas de 8 anos estupradas por militares. "Elas não conseguiam nem se mexer, não podiam mais andar por causa das feridas."

Como militante dos direitos humanos e como mulher, Ita Fatia Nadia é um alvo constante. Ela sabe perfeitamente os riscos que corre ao testemunhar: sua filha sofreu uma tentativa de seqüestro, ela mesma foi agredida, violentada.[37] As agressões a fragilizaram, mas reforçaram suas convicções. Ela está convencida de que o fim das discriminações passará primeiro pelo combate conduzido pelas associações.

---

37. Os defensores dos direitos do homem foram vítimas constantes de ataques e importunação das forças da ordem. Em Aceh, dezenove militantes dos direitos do homem foram assassinados ou desapareceram desde 2000. Cf. Alexandre Messager, *Indonésie: chroniques de l'Ordre nouveau*, L'Harmattan, 1999, e Andrée Feillard, *Indonésie: la transition démocratique*, La Documentation Française, 2002.

ASMA JAHANGIR
PAQUISTÃO

a advogada das mulheres

por Hélène Jullien

"Se não lutarmos, nossas filhas nunca conhecerão a liberdade neste país." (Asma Jahangir)

Essa advogada paquistanesa de cerca de 50 anos, cabelos curtos e grisalhos, olhos negros penetrantes, dedicou a vida à defesa dos direitos das mulheres paquistanesas. Pode-se sentir uma determinação inabalável nessa mulher pequenina de fala rápida e voz entrecortada. Ao evocar o destino das paquistanesas, vítimas de violências conjugais ou de crimes de honra, parece estar defendendo diante de um tribunal. Mas, em sua casa, não há nenhuma ostentação, nem estilo, simplesmente uma vontade profunda de convencer, de explicar. Ela não suporta a injustiça. Dedicou a vida à luta pela igualdade das mulheres e à evolução do sistema tradicional paquistanês que, em sua opinião, é profundamente discriminatório.

No Paquistão, todo ano, pelo menos 300 mulheres são assassinadas pelo marido, irmãos ou filhos em nome da "honra" familiar ou tribal. Toda mulher suspeita de infidelidade, acusada de ter olhado para outro homem ou que recusou um casamento arranjado... pode ser brutalmente mutilada, espancada, queimada ou até morta.

"A vida de uma mulher não vale nada", revoltou-se Asma Jahangir. "A mulher só é vista como objeto sexual, alguém a ser controlado. Os homens podem fazer o que quiserem delas, são propriedade deles. Quando pensam que elas podem estar desonradas, os homens se vêem no direito de matá-las." Neste país, muito marcado pelas tradições tribais, essa prática bárbara se perpetuou em total impunidade. Quando os assassinos são presos, o que é raro, beneficiam-se de uma grande condescendência dos tribunais, que lhes impõem penas ínfimas ou, simplesmente, os liberam.[38] Prova dessa inacreditável tolerância é a lei paquistanesa de 1992, que oferece ao culpado a possibilidade de escapar a um processo judicial com a condição de que a família da vítima não dê queixa e o perdoe pelo crime. Uma aberração já que, com muita freqüência, a família da vítima é cúmplice do homicídio, cometido, supostamente, em nome da honra. Asma disse com indignação:

Matam com uma mão e perdoam com a outra, e a mulher é totalmente esquecida no fundo do túmulo.

Encolerizada, a advogada contou esta história edificante, acontecida recentemente. Sentindo-se ameaçada pela família, uma jovem decidiu procurar um advogado num escritório em Lahore. Mas, antes mesmo que chegasse ali, foi interpelada por alguém do alto posto do exército, que lhe explicou que ela não estava em perigo. Ele a mandou para casa, dizendo-lhe que nada lhe aconteceria. Alguns dias mais tarde, a jovem morreu; a família declarou, na época, que foi vítima de

---

38. As condenações e as prisões pelos crimes de honra cresceram em apenas 10% no Paquistão.

ataque cardíaco. "Claro que não era verdade. Levamos o caso à Justiça. Seu corpo foi exumado. Na verdade, ela tinha morrido em decorrência de choques elétricos."

Esses homicídios – classificados por Kofi Aman, secretário-geral das Nações unidas, em 25 de novembro de 2000, de "homicídios da vergonha" – perpetuam-se em absoluta impunidade em vários países.[39] Nomeada em 1988 relatora especial das Nações Unidas sobre as execuções extra-judiciais, sumárias ou arbitrárias, Asma Jahangir avaliou que mais de 5 mil mulheres seriam vítimas em todo o mundo a cada ano. As práticas perduram nesses países porque não há nenhuma vontade política de levar à Justiça os autores desses crimes e proteger juridicamente as mulheres.

Asma herdou, sem dúvida, a vontade de lutar por um mundo mais justo de seu pai, Malik Jilani. E foi um político que sempre se opôs aos desmandos autoritários dos diferentes regimes militares paquistaneses e foi condenado várias vezes à prisão. Desde a infância, por causa do engajamento de seu pai, Asma conheceu o medo e as ameaças. Foi acordada no meio da noite pela polícia, que cercava a casa para prender seu pai; homens armados invadiram a casa para tentar seqüestrá-lo, e ele conseguiu escapar a várias tentativas de assassinato. Esses acontecimentos dramáticos e traumatizantes semearam um sentimento de revolta e de raiva em Asma e nunca mais a deixou.

Formada em Direito, em 1978, ela foi pioneira em inúmeros combates. Em 1981, com sua irmã Hina Jilani e duas outras colegas, fundou em Lahore, no norte do Paquistão, o primeiro escritório de advogadas. Depois, participaram do Fórum de Ação das Mulheres, o

39. Os "crimes de honra" existem também no Afeganistão, em Bangladesh, no Brasil, no Egito, na Índia, no Irã, em Israel, na Jordânia, no Líbano, na Nigéria, na Palestina e no Peru.

Women's Action Forum, que luta para mudar as leis paquistanesas sobre o estatuto das mulheres. Há trinta anos, as duas irmãs lutam, lado a lado, pelos mesmos ideais de justiça. São, ao mesmo tempo, muito diferentes e complementares: Asma é expansiva, espontânea, gosta de sair, receber e promover festas. Ela encontra, aliás, no círculo de amigos – advogados, magistrados e jornalistas –, apoio precioso em sua luta. Hina, tão determinada quanto a irmã, é muito mais reservada, séria e ponderada. Temperamentos muito diferentes que às vezes dificultam seu relacionamento, mas que as conservam unidas em seu objetivo. Em 1990, o escritório de advocacia das duas irmãs criou um refúgio inédito: Dastak, onde, todo ano, perto de 300 mulheres encontram refúgio com seus filhos. Casadas à força, às vezes desde os 14 anos, foram surradas pelo marido ou tiveram o rosto destruído por queimaduras infligidas pela própria família. Essas mulheres estão seguras nessa casa grande com jardim, vigiada permanentemente por guardas armadas. Viveram situações freqüentemente inextricáveis e recebem, em Dastak, assistência jurídica gratuita.

As duas irmãs são consideradas verdadeiros símbolos pela luta pela igualdade, pelo modo de falar corajoso, pela modernidade. E não só no Paquistão como em toda a Ásia, respeita-se a coragem dessas mulheres que não desistem nunca, mesmo diante das piores ameaças. Elas tiveram o telefone grampeado e foram enviadas à prisão várias vezes pelas autoridades que não apreciaram a liberdade de expressão e as críticas dessas duas irmãs contra o regime. Mas, acima de tudo, elas se tornaram as bestas negras dos fanáticos islâmicos, que as acusam de destruir os valores familiares tradicionais. Asma Jahangir denunciou ainda o conluio entre a ditadura do general Moucharraf, que tomou o poder após um golpe de Estado em outubro de 1999, e os islâmicos:

Os militares, ao proibirem a existência de qualquer partido político, criaram um enorme vazio em que se infiltraram os fundamentalistas. *Não devemos nos enganar: os militares e os fundamentalistas sempre andaram juntos.*

As duas irmãs são constantemente ameaçadas, atacadas e caluniadas publicamente. Uma das piores lembranças de Asma é de 1996, quando cinco homens armados vieram à sua casa para matá-la e seus três filhos. Eles entraram na casa da mãe dela por engano, que morava bem ao lado. Seqüestraram sua irmã, seu irmão e os filhos deles. Felizmente os seqüestradores logo foram presos e confessaram que o homicídio fora encomendado porque a advogada defendia pessoas acusadas de blasfêmia e exigia, para as mulheres, direitos contrários ao Islã. "Foi um momento muito duro", disse Asma, "mas meus amigos, meus colegas, a ordem dos advogados, todos me apoiaram. Compreendi, nesse dia, que, se mostrasse a menor ponta de fraqueza, eu me tornaria um alvo e arriscaria perder meus princípios e não teria nenhuma possibilidade de me explicar." Entretanto, como medida de proteção dos filhos, decidiu enviá-los ao exterior para continuarem os estudos.

Em 1999, Samia Sarwar, mãe de dois filhos, foi assassinada no escritório da advogada Hina Jilani. Ela fora pedir o divórcio, pois seu marido, extremamente violento, a surrava havia vários anos. Um homem armado entrou no escritório e a matou com três tiros de fuzil, sob os olhos de sua própria mãe, que tinha encomendado o homicídio. A família de Samia, por considerar que um divórcio mancharia a honra familiar, mandou executá-la. A advogada escapou de ser morta pela quarta bala, cujo impacto ainda é visível atrás de sua escrivaninha, graças a seu guarda-costas, alertado pelos primeiros tiros. Dois dias depois desse assassinato, foram organizadas reuniões e manifestações públicas em Peshawar pela Câmara de Comércio, cujo presidente era ninguém menos que o pai de Samia. Os ulemás presentes afirmaram que a jovem foi executada em aplicação à tradição e queriam a pena de morte para Asma Jahangir e sua irmã. Uma *fatwa*[40] é lançada contra as duas irmãs e suas cabeças são colocadas a prêmio. Essa questão gerou a indignação da comunidade internacional e da Comissão dos Direitos Humanos das Nações Unidas que se reunia em Genebra. O relator das Nações Unidas sobre a independência dos juízes e advogados exigiu que o governo paquistanês assegurasse, com a maior urgência, a proteção das duas advogadas. Acuado, o governo foi obrigado a ceder e mandou que as duas mulheres fossem protegidas dia e noite por guarda-costas, mas não condenou o homicídio de Samia nem tomou nenhuma medida para prender os assassinos.

Asma não empreende a luta pela igualdade e pela justiça social sozinha: os movimentos das mulheres e das associações, ainda que em minoria no Paquistão, são ativos e não hesitam em sair às ruas para se manifestar contra práticas seculares. Os veículos de comunicação evoluíram e agora refletem cada vez mais sobre as condições em que os crimes de honra são cometidos. Os jornalistas passaram também a expor o ponto de vista das vítimas, contribuindo, por meio de uma informação mais justa, para a evolução das mentalidades. Todavia o combate pela emancipação das mulheres está longe de ser

40. Opinião ou conselho jurídico de um especialista da lei religiosa islâmica. (N. da T.)

vitorioso e, em nome da tradição, os partidários desse crime continuam numerosos. Mesmo assim, Asma estava relativamente otimista e disse que em toda parte do mundo as mulheres estavam cada vez mais conscientes de seus direitos e se reuniam para reivindicá-los, ainda que lamentasse o fato de, em vários países, como no Paquistão, a evolução ser muito lenta.

Desde 1998, seu combate em defesa de valores que são universais ultrapassam as fronteiras paquistanesas. Sua nomeação como relatora especial da Comissão dos Direitos Humanos das Nações Unidas permitiu que entendesse melhor os diferentes tipos de "sociedade" e se confrontasse com problemas locais, em Kosovo, Timor, México, Nepal[41]... Problemas que, destacou, ela pôde "fazer chegar até o topo, até as Nações unidas". Ela lembrou, entretanto, que as Nações Unidas eram uma instituição governamental e que, nesse sentido, não se devia esperar demais. Mas considerou que a ONU funciona como ponte entre os governos e a sociedade civil internacional. Em julho de 2004, foi nomeada relatora especial sobre a liberdade religiosa e de crença.

41. Em 2000, sua irmã Hina Jilani foi nomeada, por sua vez, representante especial das Nações Unidas pelos defensores dos direitos do homem.

ELIZA MOUSSAEVA
TCHETCHÊNIA

um grito para quebrar o silêncio

por Hélène Jullien

"Nossas casernas são o laboratório dos crimes contra a humanidade cometidos na Tchetchênia em nosso nome contra todos. E é o nosso silêncio que os alimenta."[42]

O que chama a atenção em Eliza Moussaeva não é seu rosto de madona, dominado por grandes olhos negros inteligentes e vivos, mas sua tristeza infinita, um desespero profundo que não a deixa diante do horror do drama tchetcheno, em que as principais vítimas são os civis. Para combater esse sentimento de impotência que a devorava, essa psicóloga de cerca de 40 anos decidiu deixar Grosnyï onde lecionava e ir para a Ingúchia, república vizinha à Tchetchênia, para trabalhar na Associação Memorial. Nessa república são acolhidos milhares de refugiados tchetchenos.

"Engajei-me em 2000 na Associação Memorial, porque, no começo da segunda guerra militar,[43] não suportava mais as mentiras sobre

42. Ella Poliakova, presidente da Associação das Mães de Soldados de São Petersburgo.

43. O conflito tchetcheno de 1994-1996 fez milhares de mortos e ainda permanece nos dias de hoje por grandes interesses econômicos, estopim da guerra. Situada entre as repúblicas de Ingúchia e do Daguestão, a Tchetchênia é atravessada pelos oleodutos que ligam o mar Cáspio ao mar Negro.

o conflito tchetcheno difundidas pela televisão e pelos jornais russos. Havia um sentimento de injustiça, e eu tinha muita vontade de dizer a verdade. Parecia-me que apenas a Memorial era capaz de fazer isso." No escritório de Nazran, na Ingúchia,[44] do qual Eliza Moussaeva é diretora, a equipe da Memorial faz um trabalho inestimável não só para recensear os abusos cometidos contra civis, mas também para escutar as vítimas e lhes dar uma ajuda jurídica. Eliza tem de enfrentar todos os dias o desespero das mulheres: elas procuram pistas dos filhos, dos maridos desaparecidos; elas foram maltratadas, feridas, estupradas pelas forças da ordem, suas noites são assombradas pelo medo de novas prisões... Nesse trabalho, tão particular, Eliza empenha-se sem medir sacrifícios, observa sua amiga Lipkhan Bazaïeva, que também trabalha na Memorial: "Ela traz um aspecto muito humano a nosso trabalho. No início, pensei que fosse por ela ser psicóloga, mas não, é simplesmente alguma coisa que ela tem. É uma mulher de grande coração. E, por ser uma intelectual, ela demonstra, em todas as situações, muito bom senso". A Memorial, única associação independente russa que trabalha na Tchetchênia e na Ingúchia, tenta, por todos os meios, ajudar os civis tchetchenos: publica relatórios que envia à impressa, interpela deputados em Douma, busca no Ministério Público informações sobre as pessoas seqüestradas. Contudo, em 90% dos casos, a associação não consegue nenhuma informação.

Enquanto o presidente Putin tenta convencer o mundo de que a situação está normal na Tchetchênia, a repressão, sob pretexto de um novo crescimento do terrorismo, é mais feroz do que nunca, cedendo espaço a atrocidades inimagináveis, das quais os civis são as principais

44. A Ingúchia tornou-se independente da Tchetchênia em 1992 e passou a república da Federação Russa.

vítimas. Uma barbárie que dura cinco anos no coração da Europa, no silêncio ensurdecedor e cúmplice da comunidade internacional.

Durante os últimos meses, os métodos das forças de segurança russas e tchetchenas mudaram: passaram de bombardeios e ataques militares em grande escala contra as cidades e os vilarejos a operações mais pontuais. Verdadeiros "esquadrões da morte" seqüestram e matam em plena noite durante operações especiais. "Antes, as mulheres tentavam defender os homens, impedir o exército russo de levá-los. Mas o fato é que, há alguns meses, as mulheres também são seqüestradas e mortas", explica Eliza. Desaparecimentos, homicídios, torturas. Os autores desses abusos beneficiam-se, na maior parte dos casos, de total impunidade. Primeiro, porque não existe nenhuma vontade política das autoridades federais e regionais de investigar esses fatos; segundo, porque, mesmo que as famílias ousassem prestar queixa, seria impossível reunir provas. "Na maior parte do tempo, essas operações ocorrem durante a noite. As pessoas usam máscaras, chegam em carros sem placa, e não é possível saber a que serviço pertencem nem sua patente."

Cúmulo do horror: para evitar que identifiquem os corpos, os esquadrões da morte não hesitam em mutilá-los brutalmente: "Encontram-se muitos cadáveres pela metade, destruídos por granadas, irreconhecíveis. Dessa forma fica difícil provar quem matou e torturou", observa Eliza com um suspiro. Ela pára por alguns instantes, como que destruída pelo peso dessa barbárie, que precisa, no entanto, encarar no cotidiano. Essa violência é oficialmente ligada ao crescimento do terrorismo, "mas as autoridades poderiam buscar as pessoas suspeitas de terrorismo de modo legal, interrogá-las sem torturá-las, fornecer-lhes um advogado. O modo de elas agirem só reforça o desejo de vingança. Diante de tais injustiças, é muito mais fácil, depois disso, manipular algumas pessoas e fazer nascer novas vocações de camicase". Essa multiplicação de execuções sumárias é confirmada por um documento oficial da administração tchetchena pró-russa, veiculado na imprensa em abril de 2003.[45] Esse verdadeiro barril de pólvora fez, apenas em 2002, 1.314 vítimas de execuções sumárias entre a população civil, sem contar os mortos em combate. O documento compreende também, uma lista de 49 ossuários, em que foram encontrados 2.879 cadáveres.

Nessa guerra que não se declara como tal, aqueles que ousam tomar a palavra para denunciar os horrores cometidos na Tchetchênia e na Ingúchia se expõem às represálias das forças de ordem russas. Como Malika Oumajeva, responsável pela administração de uma pequena cidade perto de Grosnyï. Com muita coragem, ela denunciou os abusos cometidos pelas forças russas em sua cidade e colaborava com as organizações dos direitos humanos. Foi assassinada por soldados mascarados no pátio de sua casa, à noite, em novembro de 2002.

Aqueles que se desesperam com o sistema judiciário russo e ousam dirigir-se às instâncias internacionais são, também, sistematicamente vítimas de ameaças e represálias. Zoura Bitieva e sua família foram fuzilados em maio de 2003 porque tinham ousado denunciar na corte européia dos direitos humanos, em Estrasburgo, o Estado russo pelas torturas e pelos maus-tratos sofridos durante sua prisão no tristemente célebre campo de Tchernokozovo.

No centro do horror, a pequena equipe da Memorial de Nazran encontra coragem na forte união que reina entre seus membros.

---

45. Esse relatório, realizado sobre dados reunidos pelas autoridades governamentais tchetchenas, teria sido apresentado em março de 2003 a Vladimir Putin.

Unidos pelo mesmo princípio, eles se apóiam, se ajudam no cotidiano. Mas Eliza oferece, também, sua força às mulheres tchetchenas, por quem ela confessa uma forte admiração:

Sobre nossas mulheres, podem-se escrever poemas, fazer filmes. É uma mistura de desespero, de dor. Mas elas vivem, continuam a criar os filhos que lhes restam.

Essas mães são, entretanto, inconsoláveis: "Elas percorrem ossuários, reconhecem os filhos por um sapato, uma roupa". Elas gostariam, ao menos, de saber por que seus filhos morreram e onde estão seus corpos.

Esta militante vive muito dolorosamente, como todos os tchetchenos, o "desamparo" da comunidade internacional: "O mercado de Grosnyï foi bombardeado em um dia de grande movimento; colunas de refugiados foram bombardeados. O mundo não se surpreendeu, nada mudou. Os culpados continuam a viver sem problema, em tranqüilidade. É horrível".

Entretanto, hoje, incansavelmente, Eliza continua a testemunhar sempre que pode nas capitais européias e nos Estados Unidos para as instituições internacionais, esperando, enfim, um despertar dos chefes de governos estrangeiros. Ela não pode, simplesmente, se calar. É preciso, acredita, continuar a denunciar esse genocídio. Impulsionada pela imperiosa necessidade de agir, diz não mais se preocupar com sua segurança. Ela conhece, no entanto, perfeitamente os riscos que corre ousando afrontar o poder russo – como se pode ver pela sorte reservada à amiga Lipkhan Bazaïeva, da Memorial Grosnyï. Ao testemunhar em Paris em novembro de 2004, a convite das associações de defesa dos direitos humanos, essa professora de 55 anos conta com emoção e dificuldade o que tinha acabado de lhe acontecer. "Foi em setembro. Eles chegaram ao meu apartamento em Grosnyï às 5 horas da manhã, que havia emprestado a amigos, já que não estava lá. Eles pensaram que fossem meus familiares, e espancaram os homens, ameaçaram a mulher, e depois partiram." A Memorial protocolou, na ocasião, uma petição no ministério da Justiça, que respondeu que seus homens só haviam feito verificações de identidade, e afirmou que, para as autoridades, Lipkhan apoiava os separatistas. Uma verdadeira condenação à morte, que a obrigou a deixar a Tchetchênia com a maior urgência. Desde então ela vive na Alemanha, mas só pensa em uma coisa: voltar o mais rápido possível para a Tchetchênia. Apesar das pressões cotidianas, do cansaço e do desespero que a assolam pela falta de perspectivas políticas, Lipkhan escolheu continuar a lutar. "Pode parecer paradoxal, mas durante esses quatro últimos anos me senti, de algum modo, satisfeita. Sei que trabalhando para a Memorial faço o que devo fazer, cumpro, de algum modo, minha missão."

Desde a crise dos reféns de Beslan, a violência cresceu ainda mais contra a comunidade tchetchena, denunciou Lipkhan. "Todos nós tínhamos sofrido o suficiente na pele para nos compadecer com o drama das famílias tocadas pelo atentado de Beslan. Mas também nos indignamos com a indiferença do poder que não hesitou em sacrificar seus filhos simplesmente para estabelecer ainda mais seu poder." Ela denunciou com violência e cólera a amálgama que fez o poder entre os terroristas e os separatistas, que defendem tão-somente posições políticas. Sob o pretexto da luta antiterror, acusou,

Putin reforça seus poderes e transforma, pouco a pouco, a Rússia em uma ditadura que ridiculariza o Estado de direito.

Como Eliza, Lipkhan viveu com muito dificuldade o fechamento dos campos na Ingúchia, entre 2002 e 2004.[46] A presença desses campos, que lembravam ao mundo o drama que viviam as populações civis tchetchenas, era intolerável para a Rússia. Para enviar os milhares de refugiados de volta à Tchetchênia, mesmo que a segurança não fosse garantida, as autoridades russas usaram enormes pressões psicológicas, ameaças e violência... Cortaram a água, a eletricidade nos campos, eliminaram centenas de pessoas das listas de refugiados, privando-os, assim, do único meio de beneficiar-se da ajuda alimentar. "As pessoas estavam em situações absurdas", explica Eliza, "as crianças constavam sempre da lista de refugiados enquanto seus pais haviam sido eliminados". Ao mesmo tempo, as autoridades alternavam ameaças e promessas, e faziam reluzir para os refugiados possibilidades de compensações financeiras se eles aceitassem voltar. A partir do verão de 2003, as forças de ordem começaram a prender pessoas e espancá-las apenas para semear o terror. As pessoas tinham tanto medo que partiram. Um homem disse a Eliza:

Não faz diferença se eles nos matam aqui ou em algum lugar distante. Então, é melhor voltar para casa.

Nessas condições tão duras, a equipe da Memorial continua seu trabalho, ajuda várias centenas de refugiados a ser reintegrados nas listas e denuncia o que acontece na Ingúchia em vários relatórios.

46. Em abril de 2004, restavam pouco mais de 70 mil refugiados na Ingúchia; antes do início do fechamento dos campos em 2002 eram 200 mil.

"Mas, apesar de tudo, sentíamo-nos terrivelmente impotentes, víamos que nada era capaz de parar essa máquina. É muito duro ver o sofrimento dessas pessoas, ver como um Estado, que deveria protegê-los, os maltratava."

Desde maio de 2004, Eliza Moussaeva está, em Viena, em missão como pesquisadora para a Federação Internacional dos Direitos Humanos de Helsinque. Ela trabalha na Tchetchênia e na Ingúchia e também participa de um seminário no Instituto de Psicologia Victor Frank. Acredita que, em seu retorno, retomará o trabalho de psicóloga. Ela quer acreditar que, um dia, enfim, o trabalho feito pela Memorial permitirá às vítimas obter justiça e que os crimes cometidos na Tchetchênia serão julgados por um tribunal internacional.

ARUNDHATI ROY
ÍNDIA

a narrativa da secessão

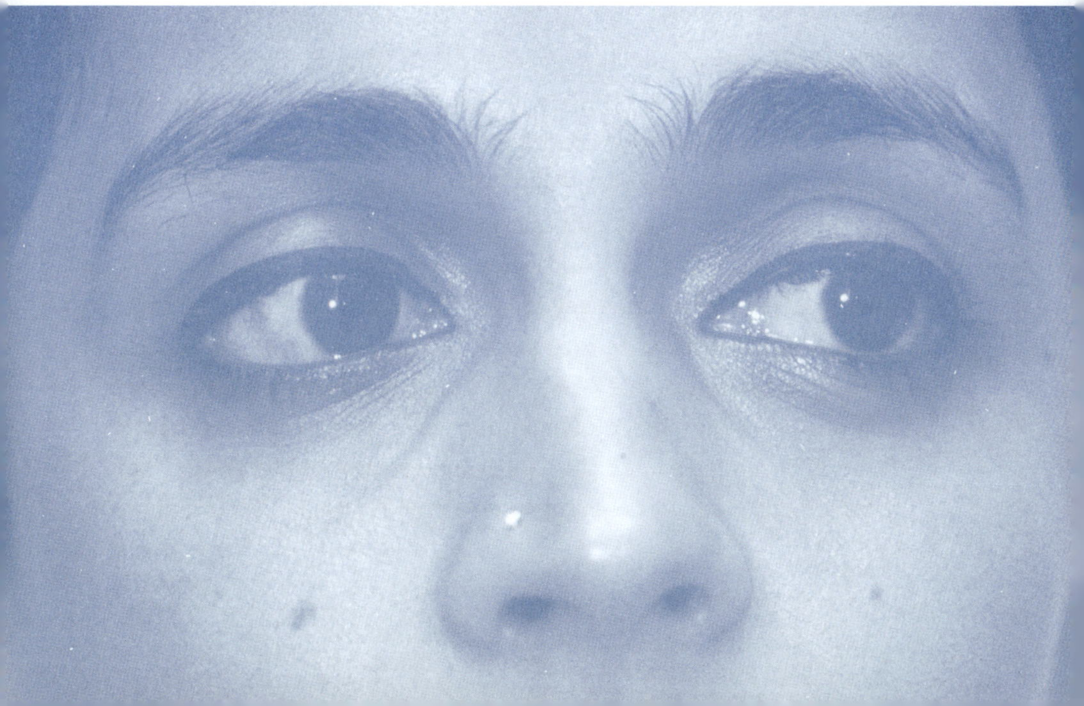

por Aurine Crémieu

"O que acontece hoje não é um 'problema', e os debates levantados por alguns entre nós não são 'causas'. São grandes cataclismos políticos e sociais que abalam o mundo. Não nos engajamos em nome de nossa profissão, escritor ou militante; nos engajamos na qualidade de seres humanos." (Arundhati Roy)

De um livro escrito nos momentos de folga do trabalho como roteirista para a televisão indiana, ela fez um fenômeno. Ela mesma não acreditava um segundo, mas com *O Deus das pequenas coisas*, romance que conta a infância de dois gêmeos em um vilarejo do Kerala, Arundhati entrou no grupo dos grandes escritores. A história rural que retrata o absurdo do sistema das castas, e a mesquinhez política e moral que reina em uma longínqua região da Índia, tornou-se uma história poética universal. Após ter lido o manuscrito, um editor inglês voou até Nova Délhi para convencê-la a assinar um contrato, e falaram-lhe de quantias em libras, com muitos zeros para que compreendesse imediatamente o que estava acontecendo. Com esse romance, em 14 de outubro de 1997 Arundhati Roy venceu o

Booker Prize, o mais prestigioso prêmio de literatura em língua inglesa. Melhor ainda, ela o recebeu em Londres! Habituada à sombra, ela apareceu sob a luz, do alto de seu um metro e cinqüenta e cinco de altura, visivelmente emocionada. Tinha exatos 36 anos, e o mundo literário acabava de enriquecer com uma autora de admirável beleza, de grandes olhos escuros e delineados e brincos pretos pendentes tocando os ombros. O *glamour made in India*, um brilhante pregado na narina e saris de cores cintilantes... é de um exotismo "*so photogenic*", tão fotogênico, que ela se tornou a favorita das capas de revista. Dizer que ela não se deixa inebriar seria mentir. Durante um ano ela percorreu o mundo, respondendo a convites mundanos, mas a lucidez não estava a distância, e velou, espiando sobre seu ombro. Ela não se divertiria por muito tempo. Detestou, por exemplo, que falassem dela como uma autora engajada. Entretanto, esse rótulo que pretendia enobrecer sua obra iria aderir à sua pele como uma fatalidade. Ora, não se tratava, para ela, nem de engajamento nem de militantismo, mas de responsabilidade. É a palavra-chave. Para Arundhati Roy, calar era um ato político como protestar. Ela escolheu protestar porque não podia fazê-lo de outra maneira, porque a Índia, a cada instante, lhe lembrava sua responsabilidade de escritora do hoje, de vendedora de doces ou de arquiteta de ontem.

"Ser escritora, e escritora 'conhecida', em um país de milhões de analfabetos, é uma honra um pouco duvidosa", ela escreveu para colocar fim a essa admiração suspeita que deseja transformá-la em heroína da contestação.[47] Com o turbilhão que se seguiu ao Booker Prize, houve a glória, o dinheiro, a projeção, as críticas severas, o ciú-

47. "Je vois, j'écris, je crie" [Vejo, escrevo, grito], artigo de Arundhati Roy para Outlook, revista de atualidades indiana.

me, o grande amor. Tudo aconteceu ao mesmo tempo, a tal ponto que pensa, no espaço de um instante e sem cinismo, que a morte seria o único fim perfeito para essa história. O que poderia lhe acontecer, ainda, daqui para a frente? "Quanto mais pensava nisso, mais percebia que, se a fama virasse rotina, acabaria me matando. Porque me aterrorizava, a golpes de boas maneiras e de higiene."[48] Não ter o que fazer, suítes luxuosas de hotéis, glória e dólares não eram o cenário de seus sonhos. Além disso, ela é indiana; se abre um pouco os olhos, tudo lhe grita a vacuidade desse tal sucesso, desse conto de fadas contra a natureza. "Preconizo a circunspecção, preconizo a discrição, a prudência, a hesitação, a sutileza, a ambigüidade, a complexidade [...] Gosto das perguntas que ficam sem respostas, de histórias não resolvidas, dos cumes virgens das montanhas, da doce frustração dos sonhos interrompidos." Preso demais àquele lindo rosto, não viu chegar a revolta. Após aquele ano maluco de aviões e coquetéis, ela quer voltar para casa, em Nova Délhi, para perto do marido. Quando, finalmente, volta ao bom caminho e pensa ter reencontrado um pouco de serenidade, o mundo desmorona em sua cabeça. A Índia acabava de fazer testes nucleares com sucesso, o país tinha a bomba e o povo estava nas alturas. Para o país, era uma festa nacional; para Arundathi, o fim do mundo. Era o que ela chamava de o fim da imaginação. "A suprema estupidez é acreditar que as armas nucleares só são perigosas se as usarmos. O simples fato de existirem, apenas sua presença em nossa vida, destrói muito mais do que suspeitamos."[49] Ela, que queria retomar uma vida normal, começou afiando sua pena

48. "La fin de l'imagination" [O fim da imaginação], *Outlook*, agosto de 1998. O artigo faz parte da coletânea de artigos políticos *Arundhati Roy, l'écrivain militant*, Gallimard, 2003. (Folio Documents).

49. Ibid.

para falar da indignação; a primeira de uma longa série. Ao publicar seu ensaio na revista mais lida da Índia, arriscou muito: pronunciar-se contra a bomba era ser antinacionalista, pior, anti-hindu. Seus amigos a alertaram, mas não era o caso de um silêncio que julgou cúmplice. Nesse momento de sua vida, ela fez uma ruptura:

Meu universo morreu. Se escrevo, é para chorar seu fim.

A partir desse triste dia nuclear de maio de 1998, Arundhati Roy nunca encontraria tempo para escrever um segundo romance, porque fogos se acenderam um pouco por toda parte no país e porque ela precisava de tempo para acalmar sua cólera. Uma guerra suja em Caxemira, um Bin Laden que, em breve, provocaria a América, o Afeganistão e suas ruínas, o Iraque e as mentiras, os recursos naturais para os ricos, os olhos para chorar aos miseráveis... Não, decididamente era muito cedo para que sua voz se apaziguasse.

Um dia, ela pegou um trem e depois um barco para penetrar em um mundo aquático, também ele em perigo. "Foi a curiosidade que me conduziu até o vale de Narmada. Meu instinto me dizia que jogavam alto ali." Nessa Índia imensa corre um rio, o Narmada. Essa fita de 1.300 quilômetros que atravessa alguns dos vales mais férteis do país estava desfigurado pelo concreto de um programa faraônico lançado em 1961 pelo primeiro-ministro Jawaharlal Nehru, que projetou, a termo, a edificação de 3.165 barragens sobre o rio e seus afluentes. Ou seja, 37.700 hectares de terras inundadas e nenhuma alternativa viável para os milhões de pessoas que vivem em suas margens. Vilarejos inteiros já desapareceram sob as águas e os habitantes devem perambular hoje sem rumo nas favelas de Bhopal ou de Baroda. Para o espírito bem formado de Arundhati Roy, diplomada em arquitetura, isso poderia ser uma jóia de construção e desenvolvimento, mas o que ela descobriu ao chegar a esses locais foi, primeiro, a realidade dos moradores que resistem pacificamente há mais de dez anos, imersos nas águas salobras. Em nome do "progresso nacional", o governo colocou em perigo a vida de mais de 320 mil indianos, provenientes, em sua maioria, das comunidades adivasis (primeiro povo a habitar a Índia) e das castas baixas. Essa massa indiana silenciosa, que não sabia nem ler nem escrever, estava condenada a se exilar, a deixar o único pedaço de terra capaz de alimentar seus filhos. A Índia está acostumada com isso – terceiro construtor de barragens do mundo, o conjunto de seus projetos hidráulicos já lançou milhões de pessoas na rua. Milhões! Nesse universo de água e de malária, Arundhati Roy encontrou a bela Medha Patkar, vinda de Bombaim para viver em um casebre à beira do Narmada, a fim de organizar melhor a resistência. Entre as duas mulheres, passou, de repente, uma corrente. Transtornada pelo que viu, a autora do *O Deus das Pequenas Coisas* doou o dinheiro que recebeu do Booker Prize, ou seja, 30 mil euros, ao Narmada Bachao Andolan.[50]

Em seu rastro, ela deslocou câmeras e jornalistas e assim conferiu uma projeção internacional à luta para salvar o Narmada. Começou a devorar todos os estudos científicos sobre o tema, expurgou os diagramas, os relatórios de peritos, contestou as estatísticas. Ela afirmou que nenhum desses projetos faraônicos cumpriu suas promessas, "eles são a maneira mais segura de privar o camponês de sua sabedoria ancestral e o método mais descarado de roubar a água, a terra e a irrigação dos pobres e de entregá-las aos ricos. [...] Foi-se o

---

50. Associação Salvemos o Narmada.

tempo em que os números me incomodavam. Agora não mais".[51] Com essa luta pelo Narmada, Arundhati Roy tornou-se, a contragosto, a nova musa dos que lutam por um mundo melhor. Ela foi convidada a todos os grandes encontros sociais e ecológicos. Certamente, aceitou discutir no fórum de Porto Alegre ou em Bombaim, assinou apelos ao presidente Bush ou a Kofi Annan para que milhares de inocentes fossem poupados de uma chuva de bombas no Afeganistão ou no Iraque, mesmo que democráticas e "abençoadas por Deus"! No entanto, contesta que lhe seja atribuído outro rótulo. Ela não é militante por um mundo melhor, nem militante ecológica. Apenas uma mulher que, como "qualquer um, conscientiza-se dos desastres da mundialização" e "não é mais ingênua". Ela cortou os cabelos bem curtos, a fim de romper com a imagem da bela indiana glamorosa. Encorajada por familiares e pelo cineasta Pradeep Krishen, seu marido, se transformou. Só seria necessário um punhado de anos para que os personagens romanescos, esses heróis de *pequenas coisas* que habitavam a vida de Arundhati, se apagassem atrás da crueldade tangível do mundo. O imaginário de uma romancista devorado por seu compromisso de se manifestar; para Arundhati, era um verdadeiro dilema. Um pouco como se ela estivesse presa em sua própria armadilha, a de sua responsabilidade transformada em linha de conduta. Quando deseja começar novamente a escrever ficção, é requisitada a se pronunciar sobre as guerras em curso, a pilhagem de recursos naturais, a hegemonia norte-americana. Quando assume um posicionamento sobre essas questões, perguntam-lhe quando publicará o próximo romance. Uma situação inextricável, em suma.

51. "Pour le bien commun" [Para o bem comum], *Outlook*, 1999, publicado em *Le Coût de la Vie*, Gallimard, 2003.

Para ela, que foi arquiteta, vendedora de doces, atriz de um dia, cenógrafa, romancista, ecologista, humanista, o que lhe importa, na verdade, ser reconhecida como isso ou aquilo? O Booker Prize já passou, já está longe, e não mudará em nada a face do mundo.

Quando sua pena vigilante lhe deixa tempo, ela desce em direção ao sul para recuperar as forças na casa de sua mãe, a doce Mary Roy, que cultiva seu jardim em Kerala. Esse estado aprazível e fértil da Índia tem os índices mais altos de alfabetização e de escolarização, notadamente entre as meninas. Os missionários cristãos trabalhavam ali e sua mãe também era cristã. Ela se casou com um bengali hindu que veio ao Kerala para plantar chá. Arundhati nasceu desse casamento, não muito feliz, em 24 de novembro de 1961, e hoje ainda sente desconforto ao falar do seu pai, "não quero falar disso, não sei nada dele. Devo tê-lo visto duas ou três vezes, ponto final". Cresceu cercada de mulheres nesse mundo de lagoas feito de especiarias, de lutas marxistas e de uma alegre mistura de religiões. Bem, naturalmente, esse foi o cenário em que se inspirou para seu *Deus das Pequenas Coisas*, esse "primeiro romance" traduzido em quarenta línguas e com 6 milhões de exemplares vendidos. Na página de agradecimentos, pode-se ler: "Para Mary Roy que me criou. Que me ensinou a dizer 'com licença' antes de interromper em público. Que me amou suficientemente para me deixar partir". Arundhati deixou o ninho jovem, com 16 anos, talvez para encontrar melhor sua mãe hoje. As duas são cúmplices, e Mary não precisa de palavras para entender o esgotamento que acomete algumas vezes sua filha, diante de toda a luta que ainda terá de enfrentar. Ela mesma foi uma militante social obstinada; sabe que, sob esses aspectos exóticos, o Kerala é um terreno de injustiça que deixou rastros no imaginário da jovem Arundhati. Aliás, *O*

Deus das Pequenas Coisas não trata de uma grande história de amor entre um homem que deve ser evitado (intocável) e a filha de um próspero chefe de empresa? Por ter ousado desprezar regras morais estabelecidas por um sistema das castas arcaicas, Arundhati é ameaçada de processos e atormentada por fanáticos hindus desde o lançamento de seu livro. A realidade já alcançava a autora de sucesso. Tudo o que ela escreve, diz Günter Grass,[52] escreve "com cólera, uma cólera reprimida". Ela confessa que ficar em silêncio sobre todas essas questões infames seria insuportável.

Venho de um país que conquistou sua independência pela luta não-violenta. E isso é fenomenal. *Não tenho, contudo, uma visão idealizada de tudo isso, mas sei que cada vez que se faz uso da violência, cada vez que se aponta um fuzil para uma pessoa, uma bala entra no corpo dela e no seu também.*[53]

52. Escritor alemão, ganhador de Nobel de Literatura.

53. Entrevista com Michael Sontheimer para o *Der Spiegel*, de 7 de abril de 2003.

NGAWANG SANGDROL
TIBETE

uma infância roubada

por Hélène Jullien

"Apesar das atrocidades cometidas e de toda a opressão, devemos salvar nossa cultura e nossa religião, tudo o que for específico do Tibete e pode ainda ser salvo." (Ngawang Sangdrol)

Após mais de onze anos passados nos cárceres chineses, a jovem tibetana Ngawang Sangdrol foi, finalmente, libertada em 17 de outubro de 2002, nove anos antes do fim de sua pena, por razões médicas, mas também graças a uma forte pressão internacional. Anos de torturas, isolamento e privação fragilizaram sua saúde, porém não conseguiram nunca vencer a extraordinária determinação dessa jovem, hoje com quase 30 anos. Levada por sua fé budista, ela lutou pacificamente desde a infância contra a ocupação chinesa e pela defesa de um Tibete, enfim, livre.

A pequena Rigzin Chonzom só tinha 8 anos quando decidiu entrar para o mosteiro. Uma escolha difícil para essa menina que deveria deixar pais, irmãos e irmãs para entrar no mosteiro de Gari, a cinco quilômetros ao norte de Lhasa, na encosta das montanhas. Ao se tornar noviça, recebeu o nome de Ngawang Sangdrol. Aquela criança risonha e brincalhona dava prova de determinação fora do comum para sua idade e de surpreendente maturidade. Muito ligados à fé budista, seus pais, Namgyal Tashi e Jampa Chonzom, não se opuseram a esse desejo precoce, já que a entrada de uma criança no mosteiro era motivo de orgulho, uma honra para a família tibetana. Era também a certeza de que a menina, excelente aluna, receberia uma educação de qualidade, uma oportunidade em um país onde a escola é paga. Sua vocação religiosa é, sem dúvida, muito ligada à admiração e à afeição que tem por sua irmã mais velha, Tamding Lhamo, que se tornou monja.

A família, como todo o povo tibetano, tem uma devoção inabalável ao Dalai Lama, chefe espiritual e temporal do Tibete. Apesar dos vinte anos da feroz repressão (1959-1979) e da vontade dos chineses de erradicar a cultura ancestral tibetana, Pequim nunca conseguiu destruir a determinação dos tibetanos. Pela veneração que os tibetanos têm ao Dalai Lama, exilado desde 1959 na Índia, a religião tornou-se para numerosos tibetanos um dos pilares da resistência à política de ocupação. E os mosteiros que se tornaram focos de resistência foram combatidos.

A pequena Ngawang pertence a uma família de militantes convictos. Seus pais lhe falaram sobre a invasão do Tibete, os anos de assimilação forçada e a chegada maciça de colonos chineses que visavam fazer do Tibete uma simples província. Seu pai, Namgyal Tashi, participou do levante de Lhasa na primavera de 1959. Uma revolta esmagada por sangue que fez vários milhares de mortos e obrigou o Dalai Lama a fugir pelo Himalaia para se refugiar na Índia, logo seguido por milhares de compatriotas. Após essas manifestações, a exemplo do que aconteceu com numerosos tibetanos, o pai de Ngawang foi condenado a trabalhos forçados e toda a família foi, a partir de então, rotulada de "reacionária". Durante a Revolução Cultural (1966-1976), a repressão intensificou-se ainda mais, e o Partido Comunista Chinês mandou executar e enviou à prisão milhares de opositores, que foram torturados e sofreram todo tipo de privação. Os templos foram saqueados e destruídos.[54]

No final de 1978, a família foi afetada por um novo drama: o filho mais velho, Rigzin Gompo, membro ativo de um grupo de jovens resistentes, os Jovens Tigres Tibetanos, foi morto por soldados chineses. Alguns dias mais tarde, onze de seus companheiros foram executados em praça pública. A partir desse dia, todas as crianças foram criadas no culto desse irmão mártir.

O fim da Revolução Cultural e a ascensão de reformistas ao poder na China permitiram que o Tibete se beneficiasse, durante alguns anos (1979-1987), de um regime mais clemente: o comércio privado e o estudo da língua tibetana foram novamente autorizados e a liberdade religiosa foi mais respeitada. Mas, no outono de 1987, os tibetanos fizeram manifestações nas ruas de Lhasa e chocaram-se contra os limites da abertura do regime chinês que não tolerou essa veleidade de independência. O Tibete entrou em uma nova era de repressão.[55] Todos esses anos de ocupação e repressões violentas se desenrolariam totalmente a portas fechadas, pois, naquela época, nenhum ocidental tinha autorização de entrar no Tibete. Somente

54. Quase todos os edifícios religiosos foram destruídos por militares chineses. Estima-se que menos de dez sobreviveram a essa política de erradicação.

55. Os habitantes de Lhasa manifestaram-se novamente em 1988 e 1989. A cidade estava em guerra, e os chineses decretaram a lei marcial que seria suspensa em 1990.

em 1989, quando o Dalai Lama recebeu o Prêmio Nobel da Paz, o mundo descobriu o alcance da tragédia tibetana.

Foi nessa época que Ngawang, que tinha apenas 11 anos, assistiu, em 21 de agosto de 1990, ao festival tibetano de Chotön (a festa do iogurte). Como as outras noviças do mosteiro de Gari, ela estava revoltada pela vigilância incessante das autoridades chinesas dentro do mosteiro.[56] Assim que as membros do pequeno grupo começaram a gritar: "Tibete livre! Longa vida à sua Santidade, o Dalai Lama", policiais uniformizados e à paisana os prenderam e espancaram. Durante o trajeto, bem como no interior da prisão de Gutsa, os golpes continuaram. Mas Gutsa foi apenas uma prisão de trânsito, e a adolescente foi levada a Drapchi, a prisão para penas mais longas, onde conviviam prisioneiros políticos e criminosos comuns, e permaneceu ali durante nove meses. Acusada de ser "separatista" e "contra-revolucionária", a noviça, a despeito de ser tão jovem, conheceu a sorte reservada aos prisioneiros políticos: torturas e humilhações cotidianas. Além dos golpes na cabeça com cano de ferro, Ngawang sofreu outro suplício: a infeliz foi colocada de cabeça para baixo, as mãos presas nas costas, e sacudida pelo ritmo de chibatadas. Ao fim de uma semana de interrogatórios, as torturas cessaram. A menina foi, então, levada a uma pequena cela sem aquecimento onde, sem ao menos um cobertor, tremeria durante os meses de inverno.

Ao sair da prisão, foi proibida de voltar ao mosteiro de Gari. A volta à família foi dolorosa. Desgastada por anos de repressão, sua mãe, cujos problemas cardíacos haviam se agravado, morreu pouco

56. Vigilância muito dura que se intensificou a partir de 1996, quando os chineses lançaram a campanha "bater forte" para combater os "crimes dos separatistas", bem como um programa de reeducação nos monastérios que levou centenas de religiosos ao exílio.

antes de sua libertação. Seu pai e um de seus irmãos foram, novamente, presos por razões políticas e a jovem Ngawang, como todos os prisioneiros políticos libertados, vivia sob constante vigilância policial.

Entretanto, ao fim de alguns meses, em junho de 1992, ela participou novamente de manifestações nas ruas de Barkhor, que cercam Joklang, o templo mais sagrado do Tibete. Logo ela foi detida e conduzida à prisão de Drapchi. A adolescente de 13 anos passaria onze longos anos nessa prisão.

No início de 1993, um dos prisioneiros que saía todos os dias para trabalhar para os chineses conseguiu levar, clandestinamente, um gravador para a prisão. À noite, em grande segredo, quatorze adolescentes e religiosas gravaram dezesseis cantos com letras que elas haviam escrito. Letras bastante claras:

Meu coração é o Dalai Lama.
Ele foi obrigado a deixar sua terra natal
Mas as três províncias do Tibete estão unidas
Para defender a religião.
Os chineses devem ser expulsos.
Em um ano ou dois
Nós seremos independentes.

Elas também falavam de suas condições de detenção, da tortura e dos golpes que sofriam diariamente. As fitas gravadas, destinadas no início a seus compatriotas, circularam pelo exterior graças a refugiados tibetanos que as levaram, correndo risco de morte, ao exílio na Índia. As associações de defesa do Tibete traduziram os cantos e as denúncias para o francês e o inglês, fazendo que a causa das religiosas de Drapchi transpusessem as portas fechadas tibetanas. Contudo, quando a administração da prisão descobriu o que havia acontecido, as penas das religiosas foram prolongadas em seis anos.

Em 1996, a jovem viu-se obrigada a mais oito anos suplementares de prisão e de longos meses de isolamento por ter gritado *Rangzen*, "independência" em tibetano. Mas seus problemas não acabaram aí, pois, a partir daquela época, os chineses a consideraram líder. Com o intuito de humilhar os prisioneiros e forçá-los a reconhecer a autoridade da China, em 1º de maio de 1998 os guardas de Drapchi colocaram os prisioneiros no pátio em que, pela primeira vez, eles hasteariam a bandeira chinesa. Todavia, apenas iniciada a cerimônia, os prisioneiros comuns começaram a gritar: "Libertem o Tibete". No mesmo instante, os guardas atiraram nos detentos. Os presos políticos, que não tinham sido autorizados a sair, continuaram com os gritos. Por causa desse episódio, as religiosas foram brutalmente espancadas, o que levou várias à morte. A cabeça de Ngawang ficou tão inchada pelos golpes que, durante semanas, ela não conseguiu dormir. Como todos os prisioneiros, ela não se beneficiou de nenhuma forma de assistência, e sua saúde começou a se deteriorar. Ela se viu obrigada a cumprir mais quatro anos de detenção por rebelião, o que aumentou sua pena para 21 anos.

Quando visitou Paris, em junho de 2003, a convite do grupo de estudo parlamentar sobre o Tibete, a jovem, que havia deixado a prisão poucos meses antes, parecia marcada. Seu rosto fino, emoldurado em longos cabelos negros presos num rabo de cavalo, estava cansado, sua voz era neutra e sem timbre. De baixa estatura, ela parecia dobrada sobre si mesma, seu espírito totalmente voltado para seus anos de prisão e para as companheiras que deixou para trás nos cárceres chineses. Usava roupas civis, pois, como foi enviada à prisão aos 11 anos, nunca pronunciou seus votos. Quando indagada de uma maneira um pouco ingênua, em referência à filosofia budista, se ela sentia compaixão por seus carrascos, ela respondeu: "Não, raiva". Ngawang enfatizou que não era uma pessoa excepcional e que outros prisioneiros sofreram maus-tratos mais graves que ela. Evocou o destino dos prisioneiros políticos libertados no Tibete, que viviam em prisão domiciliar, não tinham direito de trabalhar e eram completamente excluídos da sociedade. Para ela, o problema ultrapassava o dos prisioneiros políticos. A sociedade tibetana era, efetivamente, esquadrinhada, vigiada em todos os níveis. Os tibetanos eram espionados pelas brigadas de bairro e de trabalho, e todos temiam seus vizinhos ou colegas de trabalho, que no dia seguinte, talvez, poderiam denunciá-los.

Durante todos esses anos, Ngawang resistiu, levada por uma certeza:

A verdade estava ao nosso lado. Eu estava convencida de que nossa causa era justa.

Uma convicção que dividiu numerosos tibetanos, que continuam, após cinqüenta anos de ocupação, a desafiar no cotidiano a ordem chinesa, marcando sua diferença. A maior parte dentre eles nunca se resignou e cultiva uma resistência sutil "por baixo do pano". Quando os chineses proibiram os retratos do Dalai Lama, eles honraram as molduras ou esconderam a foto sob as roupas. Com esse mesmo senso prático, a jovem Ngawang fabricou um rosário (um *mala*) com os fios vermelhos de sua blusa de prisioneira. Um combate para preservar a cultura tibetana que se exprime também através de canções ou da poesia, das quais são grandes apreciadores. Em simples cantos com temas tradicionais escondem-se, com freqüência, letras muito politizadas. Essa resistência se mede também pelo fervor que os tibetanos colocam em reconstruir seus mosteiros sempre que possível.[57] Uma força de determinação e de resistência que os chineses não tinham, certamente, medido quando invadiram o Tibete há cinqüenta anos.

Hoje, enquanto vive no exílio em Washington D.C., Ngawang reconhece ter dificuldade em se acostumar com a liberdade e a nova vida: "É porque fui criada sob um regime autoritário desde a infância e vivi sem nenhuma liberdade por mais de onze anos na prisão".[58] Ela conseguiu o *status* de refugiada em 2004 e continuou a testemunhar com freqüência, especialmente em escolas e universidades norte-americanas, ainda que, como numerosos exilados tibetanos, se sinta incomodada pelo inglês rudimentar. Ela faz o máximo para ajudar os opositores que continuam a viver miseravelmente nos cárceres chineses, em especial pela busca de informações sobre o destino deles.

Pode-se dizer que o Tibete é uma imensa prisão a céu aberto. Enquanto o povo tibetano ficar sob o jugo chinês, seremos, todos, prisioneiros privados de nossos direitos fundamentais.

57. Desde 1979, os tibetanos foram autorizados a reconstruir um número determinado de monastérios.

58. Conferência de imprensa realizada no Congresso dos Estados Unidos em 10 de março de 2004. Cf. Philippe Broussard e Danielle Laeng. *La Prisionnière de Lhassa*, Stock, 2001.

LEÏLA SHAHID
PALESTINA

a batalha no exílio

por Aurine Crémieu

"Era uma entidade, mas ela não tinha mais território. Onde estava, então, essa nação? Ainda que o chão lhe tivesse sido retirado como um tapete debaixo dos pés, a nação guardava sua função, preservando a consciência nacional – mas onde? Nos dois campos, os dois igualmente inadequados: o sonho e a alma árabes."[59]

"Delegada-geral da Palestina na França" é seu título e ela o preza muito. Não pelo *status* de diplomata que lhe confere, mas pelo reconhecimento que esse título supõe. Em 1988, quando Yasser Arafat, o raïs[60] palestino, reconheceu o Estado de Israel, François Mitterand e seu ministro das Relações Exteriores Negócios, Roland Dumas, queriam atribuir um nome mais oficial ao modesto escritório de informação da OLP em Paris.[61] O que era apenas, até

59. Jean Genet em Chatila. *Les Palestiniens*, Babel, 1992.

60. Palavras do chefe de Estado árabe (N. da T.).

61. A Organização para a Libertação da Palestina foi fundada sob a tutela dos países árabes em 1964 para exprimir a reivindicação do povo palestino de exercer a soberania sobre sua terra de origem, da qual foi desapossado em 1948, com a criação do Estado de Israel.

então, um escritório de representação tornou-se a Delegação-Geral da Palestina. Pode não parecer grande coisa, mas para Leïla Shahid, o símbolo tem peso: "Toda a diferença está na palavra Palestina, mais que reconhecer uma organização ou, ainda, um povo, a França reconheceu um país". E para toda uma população que não tinha esse reconhecimento havia mais de cinqüenta anos, esse pequeno gesto era um bálsamo para a alma. Há mais de onze anos no comando dessa delegação, Leïla fala muito, explica, debate a causa da Palestina.

Sua missão pedagógica e cultural quase atropela seu trabalho diplomático, pois é preciso lutar contra a clara desinformação sobre a questão Israel-Palestina. "Faz pouco tempo diziam que o povo palestino não existia. A Palestina era apresentada como uma terra sem povo (um deserto) para um povo sem terra (o povo judeu). Seu nome foi riscado dos mapas e dos livros de história no dia em que Israel foi criado." Mais que um combate político, é um combate existencial que Leïla trava desde a adolescência. Decidiu travá-lo na França, "esse país do ideal da Revolução Francesa, das Luzes e dos direitos humanos". Seu encontro com a língua de Voltaire remonta aos velhos tempos, no jardim-de-infância de Beirute, cidade cosmopolita onde nasceu no exílio, somente um ano após a criação do Estado de Israel. Em casa, falavam, de preferência, árabe ou inglês; o apartamento da família ficava a alguns passos da única universidade norte-americana em que o pai era professor de medicina. Mas sua mãe, Serene, estava furiosa com os ingleses por controlarem a Palestina e por traírem seu povo, prometendo-lhe, primeiro, a independência e depois descumprirem e ajudarem o movimento sionista a fundar um Estado judeu nas terras palestinas. Serene não perdoou essa traição e enviou, para desafiar, suas filhas desde o jardim-de-infância à escola francesa. "Ela me disse: 'Os ingleses foram tão injustos conosco, talvez os franceses sejam mais justos'."

O destino de Leïla estava intimamente ligado ao de sua mãe, mulher de resistência e de combate, mas também mulher de tristeza. "Ela me transmitiu toda a dor da perda da Palestina." Serene Husseini Shahid pertencia a uma família intimamente envolvida com a resistência nacional palestina. Seu avô foi prefeito de Jerusalém de 1904 a 1908. Seu pai e seu tio participaram da revolta de 1936 contra os britânicos e foram deportados para um campo em Seychelles, onde ficaram de 1939 a 1945. Ela também foi enviada com sua mãe ao Líbano. Desde então, a ferida "está aberta". Ainda resta uma grande casa em Jerusalém, rastro indelével do passado dessa família unida e feliz. Ela não pôde mais entrar nessa casa, pois se situa a oeste da cidade e está ocupada por uma família judia israelita. Quando suas três filhas eram pequenas, Serene levava-as do outro lado da terra de ninguém que separa a Jerusalém leste da oeste e lhes mostrava sua casa além dos arames farpados.[62] "Lembro-me sempre das lágrimas de minha mãe. Bem antes de qualquer consciência política, é a dor dela, despojada, que forjou minha raiva." Só mais tarde, quando entrasse nos campos dos refugiados palestinos de Beirute, Leïla conheceria a dimensão das lágrimas de sua mãe. Um drama coletivo que vai pesar mais ainda no dia seguinte à guerra dos Seis Dias de 1967, em que centenas de milhares de refugiados afluíram de novo em direção ao Líbano, 400 mil palestinos a mais, jogados fora de suas casas. No interior dos campos, vários comitês da OLP depressa organizaram a

62. A cidade de Jerusalém, reivindicada pelos palestinos e pelos israelenses, foi dividida em duas, por uma estrada que desempenha o papel de fronteira (a Estrada n. 1). A casa de Serene Husseini Shahid fica à beira dessa estrada.

resistência política. Em 1969, as autoridades libanesas, sem conseguir conter o levante dos refugiados irados, preferiram retirar-se do controle dos campos. É uma *Intifada*, a primeira, e aconteceu em Beirute. "Eu ia lá todos os dias, tinha a impressão de ir à Palestina. Reinava uma euforia política e social incrível, e eu vivia isso com eles, do interior." Para Leïla, era o fim da abstração. Tudo o que ouviu ou leu em sua primeira infância tomava forma, brutalmente. Estudante, apaixonou-se por antropologia. Esses campos feitos à mão, em que os palestinos reconstroem uma pátria fictícia, foram um formidável campo de estudo para ela. Nada ali é anódino. Ela entendeu que sua vida fazia parte daquela luta e não tardou a aderir ao Fatah, partido de Yasser Arafat. Afastou-se um pouco dos amigos, surgidos de uma juventude dourada, cujas atividades e distrações a entediavam.

Era muito jovem, mas tinha essa intuição de que alguma coisa de excepcional estava acontecendo. Sentia-me totalmente conectada ao movimento e tinha, de fato, a impressão de participar da história.

Essa mistura de militantismo político, que descobre com o Fatah, e estudos na universidade norte-americana de Beirute – que vibrava com um espírito contestatório e curiosamente anti-americano – a enriquece. Nenhum sinal ainda a adverte do caos que viria a seguir e que jogaria o Líbano na guerra civil.

Entretanto, passada a euforia desses anos, Leïla preocupou-se com algumas práticas do Fatah e sentiu que deveria distanciar-se de suas atividades políticas, dedicando-se mais a suas pesquisas. Era tempo de teorizar todo esse trabalho de campo, realizado nos campos de refugiados! Era o momento da França e da Escola Prática de Altos Estudos. Ela começa uma tese ambiciosa que nunca teria tempo para terminar...

"Em 1976, a extrema direita libanesa, os falangistas (cristãos), sitiaram os campos palestinos. A confrontação foi violenta e não podia mais me contentar em fazer estudos. Havia uma guerra civil em mim, amava o Líbano e ao mesmo tempo era palestina." Se o amor não tivesse passado por ali para preservá-la um pouco das garras da guerra, Leïla teria, certamente, voltado a Beirute. Mas ela se casou com o escritor marroquino Mohamed Berrada e foi viver no Marrocos. Foi em direção a esse país do Magrebe "como se vai para um sanatório", para esquecer o Líbano e o horror desse confronto sangrento. Descobriu outro mundo árabe, uma suavidade de viver que a prendeu, sem nenhuma nostalgia, até 1982.

Todavia a História lhe pega sempre.

O sítio de Beirute e a expulsão da OLP levaram-na de volta à sua causa. Chegou ao Líbano com um amigo querido encontrado em Paris, Jean Genet. Ele já estava doente, mas queria ir aos campos para ficar mais próximo ainda dos palestinos. "Naquela segunda-feira, voltamos para casa por volta das 18 horas. Jean foi para seu quarto, eu para o meu. Peguei os jornais para ler as notícias do dia e não pensava em revê-lo antes do dia seguinte. Pouco depois, ele sai de seu quarto, entrou no meu, um pouco confuso pelo Nembutal,[63] com sua calça um pouco aberta, hirsuto, com os cabelos em pé, sem uma única palavra se instalou em minha poltrona, ao lado de minha cama. Ele me olhou e disse: 'Amo vocês'. Eu disse: 'Mas

63. Droga para controlar a dor (N. da T.).

quem?'. E ele me respondeu: 'Os palestinos'. Ri e respondi: 'Sim, entendo, acredito'."[64]

Com os massacres que se sucedem em vários campos do Líbano – dentre eles o gravado nas memórias de Sabra e Chatila –, Leïla foi, novamente, envolvida pela política. Como ela, inúmeras mulheres palestinas entraram na luta e animaram associações, sindicatos. "Uma situação de resistência transtorna os valores tradicionais das sociedades e impulsiona, com freqüência, as mulheres em direção às responsabilidades importantes." Yasser Arafat acreditava muito na capacidade de essas mulheres trazer novo fôlego para a política. Ele pediu a Leïla Shahid que representasse a OLP em vários países da Europa. Ela hesitou em aceitar, pois sabia dos sacrifícios que essa decisão implicaria. Porém Mohamed Berrada conhecia bem a esposa, sabia que ela era "talhada" para a missão e que ansiava por explicar ao mundo a dor do povo palestino e a urgência de uma saída política. Sem a insistência e o apoio do marido, Leïla não teria, talvez, conhecido a Irlanda, a Holanda, a Dinamarca, os escritórios labirínticos da Unesco e, depois, enfim, o pequeno prédio da 15ª Subprefeitura de Paris onde está situado, hoje, o escritório da delegação. Como não tinha filhos, pôde dedicar-se totalmente àquela tarefa, imensa.

"Descobri o desconhecimento da Europa sobre a realidade palestina. Era preciso explicar tudo. Os palestinos são vítimas de estereótipos inverossímeis, que atingem os árabes e os muçulmanos em geral. Imagens que revelam vestígios da época colonial e do racismo comum." Seu primeiro trabalho seria mudar, com perseverança, essa imagem

64. Jean Genet tinha interesse na questão palestina. Próximo aos movimentos palestinos na França, foi várias vezes aos campos de base na Jordânia e depois ao Líbano. Foi amigo e colaborador de Leïla Shahid até sua morte em 1986. Trecho extraído de L. Shahid, *Genet à Chatila*, Actes Sud, 1994.

do palestino com uma faca entre os dentes ou um cinto de explosivos na cintura. Os atentados de 11 de setembro complicaram ainda mais sua tarefa. Se alguns palestinos escolheram, com efeito, a luta armada, a maior parte desse povo aspira viver em paz e não queria ouvir falar da guerra. "É um povo profundamente ligado ao direito, ao seu, mas também ao dos outros." Um dia, em Paris, ela acompanhou um enviado de Arafat ao Palais de l'Élysée, residência oficial do presidente da França. Juntos anunciaram a François Mitterrand que estavam sendo realizados acordos secretos, os famosos acordos de Oslo! Voltou a euforia. Era o retorno de Arafat à Palestina, o nascimento de uma autoridade, as premissas de um Estado com um Parlamento, eleições... Infelizmente, haveria também dirigentes israelitas que se esforçariam para destruir esse frágil edifício. O pior, sem dúvida, o último no poder, Ariel Sharon. "Se esse homem não tivesse o apoio do governo de George W. Bush, seria julgado como criminoso de guerra." Várias pessoas pensavam da mesma maneira, e houve queixas formais nesse sentido, contando com a competência universal para fazer justiça não somente ao povo palestino, mas também a toda uma parcela da sociedade civil israelense que não suportava mais esse conflito. A justiça teria de esperar! E Sharon continuava a minar qualquer esperança de paz. Casas palestinas foram derrubadas por tratores, campos de oliveiras arrancados, muros de concreto levantados, torres de vigilância e pontos de guarda humilhantes... Leïla não terminava. Alguns dias, sentia-se como Sísifo, mas ela queria acreditar. Teve, com freqüência, de reprimir a impaciência, recompor-se da raiva, conservar o sangue-frio diante de tanta incompreensão e de favores injustos feitos a uns à custa de outros, sempre os mesmos. Na Europa, ela causou admiração justamente pela elegância que soube guardar na adversidade, uma determinação educada que buscou seu vigor na herança de uma civilização oriental rica de poetas e de sábios iluminados.

Sua determinação também se originou na herança de um homem que nunca a abandonou, um combatente cuja influência sobre a sociedade palestina contemporânea ela conheceu bem. Ele não veria esse Estado renascer, mas lutou tanto por isso que, em sua criação, muitos gritariam seu nome: Yasser Arafat. Ele morreu em 11 de novembro de 2004, e o povo palestino o aclamou como herói. Na poeira vermelha de Ramala, uma multidão levou, pela última vez, seu caixão falando ao mundo inteiro de sua fidelidade ao raïs e da luta que travou, sem medir sacrifícios. "Pertenço a toda uma geração formada por Arafat, e é um privilégio para mim ter convivido com um homem que soube guardar tanto calor e humanidade durante quarenta anos de poder político." Quando perguntam a Leïla Shahid qual função ela gostaria de exercer nessa nação que está por nascer, ela se esquiva e prefere construir, prudentemente, as fundações da paz; o tempo fará o resto. De qualquer modo, seu passaporte é libanês, ela é uma "refugiada de 48" e ainda precisa de visto para entrar na Palestina. Nada foi regularizado, mas uma coisa a consola, "os palestinos estão, agora, em paz com eles mesmos, apesar da violência que sofreram e da violência que praticaram. A coisa mais difícil para eles era essa longa peregrinação pelo mundo; agora, eles voltaram para casa".

SOFIA Y.
FRANÇA

o fim da escravidão

por Hélène Jullien

"Quase 4 milhões de pessoas no mundo são alvo de tráfico a cada ano: mulheres e meninas na maioria, mas também, cada vez mais, meninos".[65]

Com aparência juvenil e cabelos loiros amarrados num rabo-de-cavalo, Sofia tem cerca de 30 anos. Fala com um forte sotaque "chti", com uma voz entrecortada por causa de um câncer de garganta, já curado. Sua história é dolorosa. Com 15 anos, revoltada com o pai tirânico, começou a roubar. Foi enviada a um reformatório e, após alguns meses, voltou para casa. Aos 18 anos, o pai a mandou embora e, nesse momento, ela passou a usar heroína. Logo fez parte de uma engrenagem tristemente comum: endividou-se com os traficantes e, para pagar sua dívida, acabou se prostituindo. Por mais de dez anos, dos homens só conheceria pancadas, insultos, advertências. Em 2005 fazia dezoito meses que havia mudado de vida com a ajuda da Mou-

65. Relatório 2000 do Fundo das Nações Unidas. Cf. também sobre o tema da prostituição, Claudine Legardinier, *Les Trafics du Sexe, Femmes et Enfants Marchandises*, Milão, 2002; Yolande Geadah, *La Prostitution, un Métier Comme un Autre?*, VLB Éditor, Montreal, 2003.

vement du Nid, ONG que busca erradicar a prostituição. Abandonou a prostituição, a droga e encontrou o atual companheiro. Em seu pequeno apartamento térreo de 40 metros quadrados nas pequenas construções de tijolo dos bairros populares da antiga Lille, ela tenta retomar sua vida ao lado do companheiro, de quem está grávida, e de sua filha de 4 anos.

"Tive vários cafetões, eram sempre traficantes e violentos." No início, Sofia só cheirava cocaína, mas logo passaria a usar drogas injetáveis para suportar a prostituição.[66] E o círculo infernal se acelerou.

Grávida da primeira filha, Sofia parou de usar droga: "Sabia que era perigoso para o bebê". Mas foi escorraçada pela família do pai da criança, que queria um casamento tradicional para que o descendente tivesse uma situação regularizada. Primeiro viveu numa residência e, depois, numa pequena quitinete e sua barriga começou a crescer. Mas, quando a criança fez 3 anos, perdeu a assistência social e se viu sem recursos. Começou, então, a vender drogas e caiu, novamente, na prostituição. O novo cafetão era alcoólatra e incrivelmente violento. Durante meses, ela seria castigada, com facadas, quando não lhe entregasse 2.500 francos que exigia todos os dias. As mãos, os braços, as pernas de Sofia estão cobertos de cicatrizes. Um dia, a golpes de barra de ferro, o cafetão lhe fraturou o fêmur. Ao falar dessas violências, Sofia tem a voz inexpressiva, como se falasse de outra pessoa. Uma noite, esse homem se enfureceu com sua filha de 3 anos e meio, "sem dúvida, porque sabia que era a única maneira de me afetar, de fato". Ele bateu na criança, mordeu-a e perfurou seu tímpano. Enlouquecida, a jovem chamou a polícia. Em conseqüência dos

66. Nas grandes cidades francesas, quase metade das prostitutas é dependente de droga. A maior parte delas usa drogas ou começa a beber para suportar os pedidos dos clientes.

ferimentos, a menina teve de ser hospitalizada por um mês, e o homem foi condenado a três anos e meio de prisão. Ela perdeu a guarda da filha, acusada pelo juiz de não ter sabido proteger a criança. A princípio a menina foi colocada em um centro para menores, mas depois foi confiada aos avós paternos. Sofia lutou durante sete anos para recuperar a guarda da filha e há pouco tempo conseguiu restabelecer seus direitos. Esse episódio foi uma ruptura para ela:

Terei vergonha durante toda a minha vida ao pensar que, por minha causa, minha filha foi espancada.

Sua filha, com mais de 10 anos e tendo terminado o ensino fundamental, vivia com os avós e passava os fins de semana com a mãe.

"Quando a tiraram de mim, não havia mais nada que me prendesse. Era a única pessoa a quem dava amor e por quem era correspondida." Em alguns momentos, ela pára de falar, os olhos longe, dobrando-se sobre si mesma, absorta nas lembranças. Percebe-se que, no mais profundo de seu interior, alguma coisa se rompeu. "Não pensava em mais nada, sobrevivia, vivia um dia depois do outro." Durante seis anos ela trabalhou em um bar. Estava sozinha: sua família a rejeitava, e ela era duplamente excluída da sociedade por ser prostituta e drogada.

Nessa época, quando engravidou novamente, foi condenada a seis meses de prisão por posse de droga, com base em uma prescrição terapêutica. Mas, por causa de seu estado, o juiz transformou a pena em prisão semi-aberta para que ela pudesse cuidar do bebê. Ela resolveu agarrar essa chance de mudar de vida: fez um contrato de emprego solidário e trabalhou em um oficina de recuperação, entretanto não conseguiu romper com o meio. Decidiu retomar o contato com o pai da criança, e ele foi morar com ela. Logo passou a espancá-la. Quando resolveu prestar queixa – "é difícil quando se é drogada" –, estava coberta de equimoses. Na polícia, descobriria que viveu meses com um criminoso várias vezes reincidente.

Alguns meses depois, encontrou um novo traficante que fazia um circuito entre Magrebe, Espanha e França. Ele lhe vendia drogas e, quando estava no norte, Sofia aceitava hospedá-lo. Ela sempre se deixou explorar, manteve ligações muitas vezes ambíguas com seus cafetões e reconheceu, voluntariamente, que nunca soube dizer não. O novo "cafetão" em pouco tempo transformou o apartamento dela em ponto de drogas. A jovem, que às vezes trabalhava mais de doze horas sem parar, usava cada vez mais drogas. "Tinha as veias tão dilaceradas que não conseguia mais me picar. No início, precisava me drogar para deitar com os clientes, depois virou rotina. Eu não tinha mais noção de tempo."

Quando o cafetão lhe propôs uma viagem ao sul da Espanha, ela decidiu confiar sua filha aos cuidados de uma amiga. Mas, mal chegando lá, ele lhe confiscou os documentos e o dinheiro, e a trancou em um apartamento, onde ficou entregue à vontade de uma dezena de homens. Depois de quatro meses, foi parar em um bar de prostituição, onde era preciso embriagar os clientes antes de levá-los para a cama. Como o dinheiro que recebia só dava para cigarro, droga e comida, Sofia não suportava mais aquela escravidão e tentou se suicidar. Acabou encontrando coragem para fugir e pediu ajuda ao Mouvement du Nid, que conheceu quando trabalhava no norte. Voltou para a França e descobriu, graças à ONG, que o bar onde trabalhou na Espanha pertencia à mesma rede[67] do que trabalhou durante seis anos na França. Seu cafetão havia organizado tudo, e Sofia percebeu a que ponto havia sido manipulada. Acompanhada pelo presidente do Mouvement du Nid, conta tudo à brigada de costumes. No dia do confronto, essa mulher tão sofrida reencontrou um pouco de seu orgulho.

Era a primeira vez que me sentia forte diante deles. Eu lhes disse: estamos na França e, aqui, as mulheres têm direitos.

As provas eram devastadoras, o gerente do bar foi condenado a cinco anos de prisão. Entretanto, graças a uma redução da pena, estaria livre em alguns meses. Da prisão, esse homem continuou a ameaçá-la: "Mandou me dizer que ia acabar comigo e com minha filha". A lei Sarkozy[68] prevê uma assistência para as prostitutas que denunciam o cafetão, mas até aquele momento, com exceção do apoio bastante efetivo das associações que trabalhavam nesse campo, essas mulheres não se beneficiavam de nenhuma proteção particular.

Após a queda do muro de Berlim, as redes de prostituição não pararam de crescer na Europa. Todo ano, cerca de 150 a 200 mil mulheres seriam vítimas do tráfico na União Européia. Jovens romenas,

67. "As redes de prostituição multiplicaram-se nos últimos anos e fixaram-se em cidades médias. Sob pequenos clãs familiares e regionais, de rápida movimentação e difícil localização, existem estruturas internacionais." Cf. *Prostitution, Cent Mots pour Comprendre*, Mouvement du Nid.

68. A lei Sarkozy sobre a segurança interior, votada em 18 de março de 2003, visa, entre outros, a extinção das redes de prostituição. Em contrapartida, uma legislação muito mais severa sobre a aliciação, que visa diretamente às prostitutas, prevê medidas sociais de proteção, como obtenção de autorização provisória de permanência para prostitutas estrangeiras que denunciam os cafetões ou testemunham contra eles.

libanesas, ucranianas que acreditavam que encontrariam um trabalho regular no Ocidente foram simplesmente vendidas, depois violentadas e seqüestradas, antes de serem colocadas nas ruas ou em bares de grandes cidades da Europa Ocidental. A maior parte dessas redes mafiosas, que se protege atrás de sociedades de fachada, obtém enormes benefícios, a distância, dos países do Leste: a prostituição gera em torno de 7,47 milhares de euros por ano. A falta de harmonização das legislações na Europa dificulta muito a cooperação policial e judicial e favorece a expansão dessas redes mafiosas.[69] Os cafetões, quando são presos, recebem somente penas irrisórias. Diante dessa realidade, para Anita Gradin, ex-delegada da Comissão Européia de Justiça:

O tráfico de pessoas é menos arriscado na Europa do que o tráfico de drogas.

Para Bernard Lemettre, presidente do Mouvement du Nid, "existe uma tolerância à violência contra as prostitutas, que indica uma recusa em ver seus sofrimentos". Uma constatação que explica, sem dúvida, o fato de cada vez mais países tentarem legalizar a prostituição, em vez de tentarem erradicá-la. A fim de combater preconceitos ainda muito arraigados, do tipo: "a prostituição limita os estupros" e fazer evoluir as mentalidades, a ONG fez uma pesquisa sociológica para tentar entender o perfil dos clientes e conhecer sua opinião.[70]

69. A Holanda e a Alemanha legalizaram a prostituição, e os cafetões tornaram-se, nesses países, homens de negócios.

70. Dos 95 clientes que aceitaram responder a essas pesquisas, mais da metade tem o perfil "do homem comum". Eles têm entre 30 e 50 anos, casados ou separados, com filhos. Na França, estima-se que aproximadamente 12% dos homens façam uso do serviço de prostitutas.

Uma pesquisa que serviu de base para uma campanha de sensibilização e de informação, sobretudo para os mais jovens, pois a Mouvement du Nid, que milita pela erradicação da prostituição, estava convencida de que era necessário um esforço cultural e educativo para obtê-la. "Convém estabelecer, desde o maternal, uma educação não violenta e não sexista, fundada no respeito mútuo, que ajude as crianças a desenvolver o espírito crítico diante das mensagens da mídia e sociais com que são bombardeadas."

Sofia começou uma nova vida. Ela seguiu um tratamento com Metadona e iniciou um longo e difícil caminho de recuperação, apoiada pelo novo companheiro. "Estava acostumada a ser maltratada, a abusarem de mim." Até agora, lhe parecia impossível um homem "que respeitasse sua companheira", que se interessasse por ela. Com mais de 30 anos, com seu companheiro, ela descobriu uma relação baseada na cumplicidade, no compartilhamento. E, apesar das condições de vida muito difíceis – de todos os seus anos de prostituição, só lhe sobraram dívidas –, às vezes ela pôde, com o novo companheiro, saborear pequenos prazeres, até então desconhecidos: ir ao cinema, jantar num restaurante. Foi também com ele que conheceu pela primeira vez a ternura e o carinho. Esse homem aceitou seu passado e nunca a julgou. Só com ele, ou com os militantes da ONG Nid, conseguiu falar de seus anos de prostituição. Pois, como muitas ex-prostitutas, nem sempre consegue enfrentar o olhar dos outros.

Após anos de vida totalmente caótica, ela passou a tomar conta de si mesma. Tudo lhe era difícil: fazer seus documentos, ir ao médico, tomar conta de si. Ela ficava três dias sem comer nada, mas depois se "empanturrava". Sua vida era conduzida pelo ritmo das filhas: o horário em que a caçula saía da escola, a visita, no final de semana, da mais velha. "Elas me ajudaram muito mais a viver do que eu as ajudei." A filha mais nova, com 7 anos, viveu com a mãe os últimos anos de prostituição. Ela é extremamente marcada, e ainda que Sofia tenha parado de se prostituir há mais de três anos, a pequena grita ao menor barulho da campainha. Numa noite, o irmão de seu ex-cafetão foi persuadir Sofia a voltar a se prostituir, ao que se recusou. A menina gritou para o homem: "Vá embora. Aqui não é sua casa; aqui, homem não entra".

A jovem tinha dificuldade em fazer projeções para seu futuro. Estava extremamente fragilizada: "Minha vida é como um castelo de cartas, que pode ruir a qualquer momento". Naquele momento, só sonhava com uma coisa: mudar do bairro onde todo mundo a conhecia, sobretudo os clientes e os traficantes. Serão necessários, certamente, muitos anos para que ela se reconstrua, reencontre a autoconfiança, reate laços sociais... Poderá considerar-se salva quando conseguir viver cinco anos sem heroína, quando tiver um lar decente, um trabalho e não tiver mais pesadelos.

LEYLA ZANA

TURQUIA

pasionaria do povo curdo

por Aurine Crémieu

"Estamos todos com Leyla Zana. Todo mundo aqui acredita nela, nosso futuro repousa em nosso combate." (Zela D., camponesa curda)

"Em minha cidade, era livre como um pássaro", escreve de um quarto escuro na prisão Ulucanlar, em Ankara. A nostalgia de uma liberdade perdida por causa de um simples grito em 1991, em sua investidura como deputada no Parlamento turco. Era necessário, absolutamente, que ela jurasse a Constituição! Um texto que ela julgava antidemocrático, elaborado e imposto por uma junta militar de 1980. Talvez, mas Leyla Zana tinha acabado de ser eleita e devia respeitar as regras do jogo. Então, em um hemiciclo de espera, ela subiu com seriedade os poucos degraus que levavam à tribuna. Todos os olhares pesavam sobre ela, ereta em seu *tailleur* escuro, a silhueta miúda e o rosto um pouco franzino. Sua decisão estava tomada. Em turco, ela pronunciou o juramento esperado pelo *establishment* militar e político. Houve um tumulto para encobrir seu discurso. Foi então, aos gritos, que ela fez ouvir suas últimas palavras, uma frase em curdo, sua língua materna:

Lutarei pela co-habitação fraterna dos povos curdo e turco no quadro da democracia.

Língua proibida! "Idioma incompreensível" a crer nas minutas da sessão parlamentar que relatam o fato. Leyla tinha apenas pronunciado essa famosa frase, e o Parlamento ressoou com os insultos. "Separatista... traidora", "Prendam-na! Para a forca!" Ela os enfrentou. Recusando uma rendição total, ela prendeu os cabelos com uma bandana cujo símbolo era conhecido por todos: amarelo, verde e vermelho, as cores tradicionais curdas. Para o regime turco era demais, uma blasfêmia total e sem apelo. Quinze anos depois, pode-se dizer que ela veio de longe, uma pequena camponesa do vilarejo de Silvan. Vê-la livre, hoje, na Turquia, é um milagre frágil, pois a justiça representa uma espada de Dâmocles sobre seu lindo pescoço.

Da história do Curdistão onde Leyla Zana nasceu em 1961, a Turquia não quer saber nada. Desde que Kemal Atatürk proclamou sua república em 1923, toda reivindicação cultural não-turca é punida. O uso do curdo foi, durante décadas, proibido pela Constituição. Primeiro, engolido no Império otomano, o território curdo foi, depois, dividido entre o Irã, o Iraque, a Síria e a Turquia.[71] Vales sublimes, mas um drama que repousa no subsolo: petróleo. Com essa descoberta, os curdos perderam o controle de seu destino e as grandes potências o decidiram em seu lugar. Eles poderiam ter desaparecido totalmente, mas eram incontáveis os clãs ligados por alianças que protegiam as tradições curdas e organizavam a resistência apesar da divisão de suas terras.

71. No único território turco, os curdos representariam 13 milhões de pessoas. Encontravam-se também pequenas minorias curdas na Armênia e no Azerbaijão.

Leyla nasceu nessa terra tradicional, embalada pelos cantos curdos que sua mãe murmurava escondida. Apesar de tudo, sua família camponesa e pouco instruída não era militante. Ela cresceu na inconsciência das lutas que rasgavam sua comunidade e casou-se aos 14 anos com um primo que mal conhecia. O costume determinava esse casamento arranjado, e sua única preocupação era agradar a esse homem, que tinha 20 anos a mais que ela. Ele se chamava Mehdi, era apaixonado por política e militava no POT, partido comunista turco. Ele nunca falava à jovem esposa sobre suas atividades, preferindo lhe deixar as tarefas de boa mãe de família. Logo Leyla engravidou e deu à luz um menino, Ronay. Descobriu que ser mulher naquele país não seria papel prazeroso, o que revelou nas linhas iniciais do livro que escreveria bem depois na prisão: "Mulher, cale-se! Quem entre nós nunca ouviu essa ordem intimidadora do marido, do pai ou de um irmão, encarnando o poder doméstico?".[72]

Quando Mehdi foi eleito prefeito de Diyarbakir, a maior cidade curda da Turquia, a família Zana estava completa; a vida poderia correr doce como o mel, mas um golpe de Estado militar decidiu o contrário. Em 1980, o regime impôs a lei marcial e enviou Mehdi à prisão pelo único motivo de ser curdo. Leyla começou a ir de uma prisão para outra, de modo que não perdesse o contato com o marido que acabaria passando dez anos nos cárceres turcos. "Tinha apenas 20 anos, um filho e estava novamente grávida! Chorei durante um ano sem parar, depois comecei a me perguntar sobre minha identidade e sobre o que as pessoas me contavam." Por seis longos meses, Mehdi e os companheiros foram torturados na prisão. Leyla saiu de seu torpor e desejava compreender o que estava acontecendo. Devorou livros e

72. Leyla Zana. *Ecrits de Prison*, Editions des Femmes, 1995.

encontrou muitas outras mulheres vítimas da mesma angústia. Foi em 1988 que tudo começou! Enquanto manifestava pacificamente com várias mulheres curdas, que reclamavam os maridos seqüestrados pelos militares, Leyla foi presa e sofreu as primeiras torturas. Soltas e determinadas, elas começaram a primeira greve de fome. Leyla deixou de alimentar-se por mais de trinta dias, mas encontrou forças para enxugar lágrimas, encorajar e não perder a esperança. Ela se tornou a voz e a inspiração dessas mulheres. A luta das mulheres curdas tornou-se sua luta, e ela se lançou na política em nome delas, para lhes devolver a dignidade e a coragem. Integrando o DEP, o partido democrático do povo, pró-curdo e legalista, Leyla optou por uma saída política para o conflito; ela era contra a luta armada, consciente de que os métodos do Partiya Karkeren Kurdistan (Partido dos Trabalhadores do Curdistão – PKK) só contribuíam para aumentar o rio de sangue.[73] Trinta e sete mil curdos já haviam pagado com a vida aquela guerra suja. Era preciso parar o massacre!

Uma luz surgiu com o restabelecimento de um governo civil, que concedeu um pouco de liberdade aos democratas curdos. O DEP apressou-se em apresentar vários candidatos para as eleições legislativas, entre eles Leyla Zana, eleita em seu distrito com 84% dos votos. A Pasionaria abriu as asas. Entre os 450 deputados que formam o Parlamento turco, ela foi a primeira e única mulher curda a conseguir o mandato. Mas, antes de exercê-lo, não pôde escapar ao juramento imposto a todo parlamento eleito. E esse juramento, enriquecido pelos cuidados de algumas palavras de uma língua explosiva, a

73. O Partiya Karkeren Kurdistan (Partido dos Trabalhadores do Curdistão) é um movimento separatista que entrou na luta armada nos anos 1980. Seus militantes refugiavam-se e desafiavam o regime militar turco com atentados e ações diretas.

enviaria diretamente para o inferno. Não foi presa logo após seu sublime ultraje apenas em vista de sua imunidade parlamentar e da presença no recinto de câmeras e diplomatas estrangeiros vindos para a ocasião. Uma prisão no coração do que deveria ser um Estado democrático provocaria tumulto. No entanto os militantes eram rancorosos e não sossegaram até tirar a imunidade da deputada Zana, o que lhes custou ainda três anos. Leyla aproveitou esses anos em prol de sua luta política; ela sabia que seus dias estavam contados.

"Meu retrato era usado nos *stands* de tiro da polícia e das unidades especiais do exército como a encarnação do inimigo que deve ser morto."[74]

Temerária, ela participou da fundação do *Yeni Ülke*, um dos primeiros jornais curdos na Turquia. Seus artigos eram um sucesso e reforçavam sua imagem pública e popular. Não demorou muito para que os jornalistas do *Yeni Ülke* fossem presos, quando não pura e simplesmente eliminados. O jornal foi proibido. Em 4 de setembro de 1993, enquanto participava de um encontro político em Batman, escapou por pouco de um comando que iria matá-la. Seu amigo Mehmet Sincar, deputado de Mardin, não teve a mesma sorte e foi morto à queima-roupa. Nos funerais, alguns dias depois, houve nova tentativa de assassinato de Leyla. Foi atingida por uma bala na testa, de raspão, mas o ferimento não foi fatal. Do episódio, restou apenas uma cicatriz acima da sobrancelha.

A luz era ilusão. À sua volta, naquele Curdistão que ela tanto amava, instaurava-se o caos. O exército perseguia sem trégua os militantes

74. *Écrits de Prison*, Op. cit.

separatistas do PKK, enviando carros e aviões de caça para bombardear as cidades. Como sempre, são os civis as vítimas: 3 milhões de curdos foram arrancados de suas terras, 4 mil vilarejos riscados do mapa, uma população deportada para as grandes cidades e condenada à miséria. As ONGs ocidentais soaram o sinal de alerta, o Parlamento europeu emocionou-se com aquela guerra não declarada. Para Leyla, tornou-se evidente que apenas a pressão internacional poderia interromper aquela carnificina contra seu povo. Com um punhado de deputados curdos, ela empreendeu uma visita diplomática à Europa e aos Estados Unidos e revelou ao mundo o significado de "curdo". Durante uma dessas viagens, encontrou Danielle Mitterrand, que se afeiçoaria a ela. A presidente da France-Libertés nunca esqueceria de enviar cartas calorosas a Leyla durante seus longos anos de prisão. Do lado de Ankara, as autoridades entraram em pânico diante dessa nova audiência internacional oferecida aos curdos. O Parlamento foi convocado com urgência em sessão plenária, exigindo a presença de todos os deputados do país. Foi desse modo que, em março de 1994, se viu uma cena espantosa de "condenação à morte". Leyla estava sentada no meio de seus colegas curdos, e o presidente da sessão pediu um voto com a mão levantada para validar uma moção de retirada de imunidade. Como um jogo ensaiado, quase todos os presentes levantaram a mão. Os alto-falantes crepitaram: "A moção foi aceita por unanimidade. [...] A imunidade de Leyla foi tirada", e houve uma tempestade de aplausos. Impassíveis, os deputados curdos levantaram-se e saíram da sala; no dia seguinte, foram presos.[75]

75. *A Cry from Jail*, documentário sobre Leyla Zana, realizado por Kudret Gunes para a produtora Art, Couleur.

Começou, então, uma paródia de justiça para Leyla Zana, Hatip Dicle, Selim Sadak e Orhan Dogan. Uma corte de segurança do Estado os acusou de "traição contra a integridade do Estado" e o general Demirel, procurador, pediu a pena de morte por enforcamento. A esses acusadores, Leyla respondeu: "Sou uma mulher que já superou o medo e o temor da morte. Engajei-me nesse combate por outras paixões. Não tenho medo nem de seus generais nem de seus tribunais e leis de outra era, nem de seus poderes. [...] Há quatorze anos, Leyla Zana era uma jovem camponesa comum, para quem o mundo estava limitado à busca de uma pequena felicidade doméstica. Os fatos que se seguiram ao golpe de Estado e as barbáries que sofreu fizeram dela uma militante com determinação de aço. Se vocês a queimarem, enforcarem, haverá milhões de mulheres curdas, dezenas de milhares de Leyla Zana que surgirão na sua frente e perseguirão seu combate".[76] Esse processo injusto foi minuciosamente seguido por observadores europeus enquanto associações e parlamentares continuavam a pressionar as autoridades turcas. Leyla não foi enforcada, mas condenada a quinze anos de prisão. Em sua cela, ela lia muito, escrevia e começou até a aprender francês. Tinha uma relação quase filial com Danielle Mitterrand, e iniciava suas cartas com "Venerada mãe". Ela também escrevia bastante para os filhos, Ronay e Ruken, confiados a seu fiel amigo, o poeta Kendal Nezan, em Paris. Ronay lia e escrevia em curdo, que Leyla lhe ensinou secretamente quando era criança. No entanto, Leyla sofreu por não ver sua filha Ruken crescer. A família que tentou construir se dissolveu, literalmen-

---

76. Essa declaração deveria ser lida em 8 de dezembro de 1994 na audiência final do processo de Ankara. Considerando que a corte ridicularizaria os direitos da defesa, os advogados decidiram boicotar o processo. Leyla renunciou, então, à leitura de seu texto. Cf. *Écrits de Prison*, Op. cit.

te, com a repressão. Após longos anos de prisão, Mehdi partiu para o exílio e vivia em Estocolmo. Em 1995, quando ela estava presa, o Parlamento europeu lhe conferiu o prêmio Sakharov, uma honra para ela e para a causa curda. A Anistia Internacional a adotou como prisioneira de opinião e multiplicou os esforços para libertá-la. Os anos passavam e as autoridades turcas fingiam não ouvir, até que o sonho da Comunidade Européia os obrigou a rever seu documento sobre o respeito aos direitos humanos. A integração à Europa exigia um preço e Ankara foi obrigada a baixar a guarda. O Tribunal de Apelação da Turquia decidiu, finalmente, em 9 de junho de 2004, libertar Leyla Zana, Hatip Dicle, Selim Sadak e Orhan Dogan. Liberdade, sim, mas de fachada. Seria preciso, então, retomar o processo do zero e nada diz que Leyla não voltaria novamente para trás das grades.

Ao sair da prisão, ela tinha 43 anos; seu único desejo era reencontrar sua família. Mehdi voltou do exílio, sua filha vive, enfim, com ela, em Ankara. A antiga camponesa de Silvan gostaria de rever a primavera verdejar nas montanhas curdas, mas já estava trabalhando para a criação de um novo partido, democrático, é claro. Mesmo privada de seus direitos civis, ela reconheceu que as coisas mudaram um pouco e que a Turquia fez alguns esforços em relação ao povo curdo. Mas ainda não era o bastante.

Se, apesar das graves ameaças inquisitoriais que pesavam sobre Galileu, ele disse: "*E no entanto ela gira!*", *eu direi, de meu lado, que continuarei a lutar pela questão curda, que é uma realidade tão tangível quanto a Terra que gira.*

Anistia Internacional

Há mais de quarenta anos, a Anistia Internacional tem por missão fazer respeitar os direitos humanos definidos na Declaração Universal dos Direitos do Homem, de 1948. Trabalha também pela promoção dos direitos humanos, pela integridade física e psíquica das pessoas, luta contra as graves violações dos direitos de opinião e de expressão e contra as discriminações. Para isso, envia missões de investigação, difunde as informações recolhidas em veículos de opinião e organiza grandes campanhas de mobilização de opinião pública.

Fundada sobre um princípio de solidariedade internacional, tem como objetivos principais:

- Luta contra as discriminações.
- Libertação de prisioneiros de opinião.
- Luta contra a tortura.
- Denúncia de desaparecimentos e de assassinatos políticos.
- Oposição à pena de morte.
- Luta contra o envio de pessoas contra sua vontade a um país onde correm o risco de desaparecimento, prisão, tortura ou execução.

- Denúncia sobre reféns ou assassinatos cometidos por grupos de oposição armados.
- Pedido de processos justos para os prisioneiros políticos.

Desde março de 2004, a Anistia Internacional conduz uma campanha mundial intitulada "Fim à violência contra as mulheres". As violências contra as mulheres são um fenômeno universal, mas não inevitável. Trata-se, com efeito, de condenar a violência como tal.

Anistia Internacional
1 Easton Street
London
WC1X ODW, UK
www.amnestry.org
Telephone: +44 20-74135500

Créditos das fotos

Página 15: Aïssata © A. Crémieu
Página 25: Sihem Bensedrine © A. Crémieu
Página 35: Vera Chirwa © A. Crémieu
Página 55: Angela Davis © Gamma
Página 65: Viviana Diaz © afdd
Página 75: Ita Fatia Nadia © A. Crémieu
Página 85: Asma Jahangir © A. Crémieu
Página 93: Eliza Moussaeva © A. Crémieu
Página 103: Arundhati Roy © Gamma
Página 113: Ngawang Sandrol © Yvette Pottier
Página 123: Leïla Shahid © A. Crémieu
Página 143: Leyla Zana © D. R.

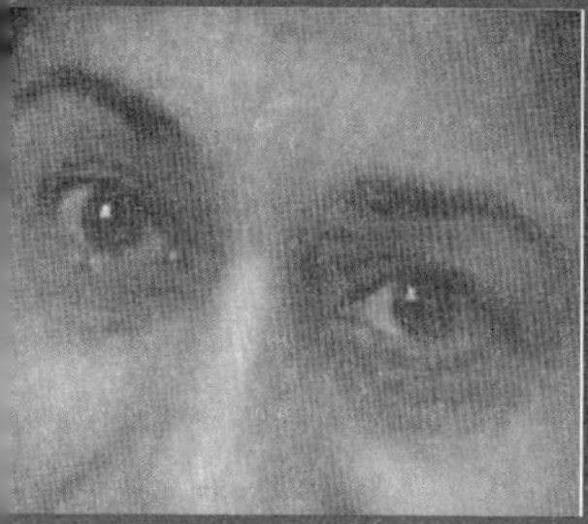 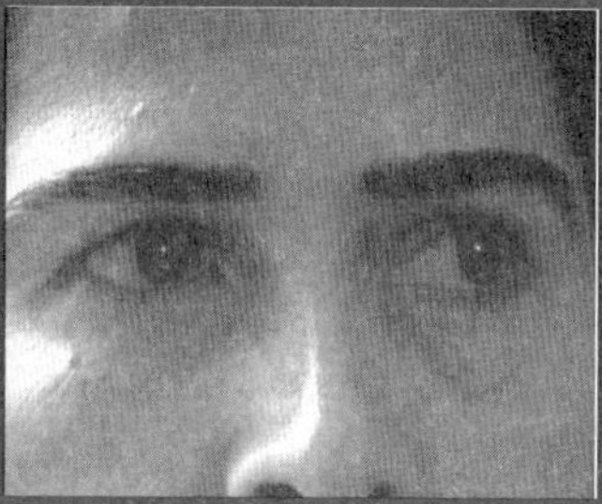 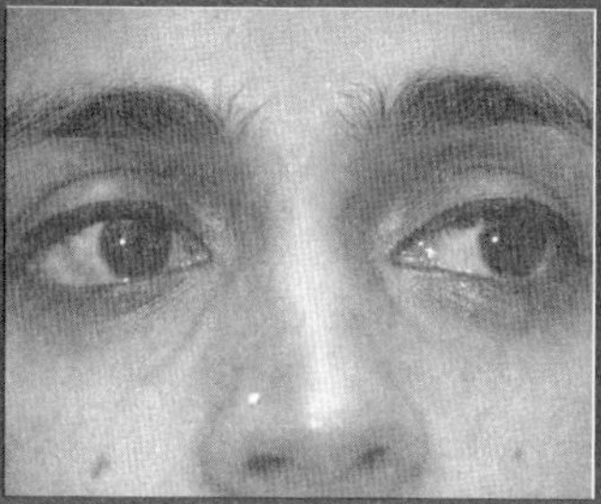

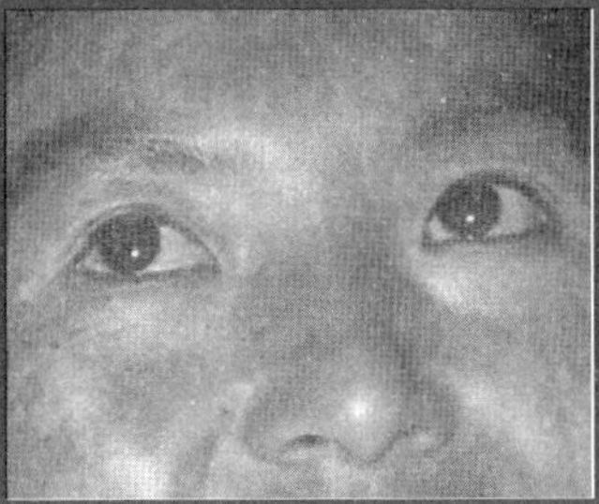
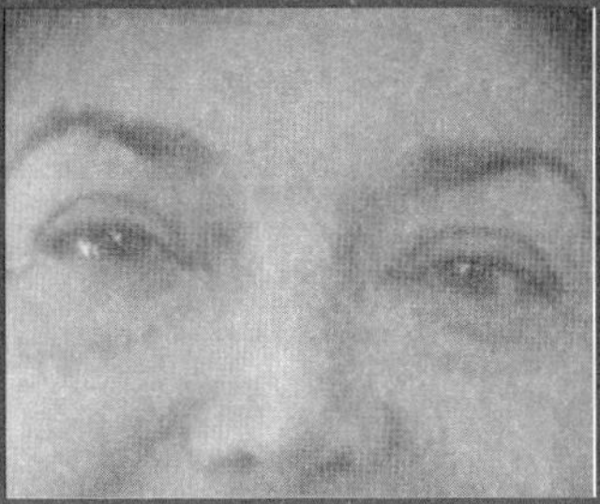
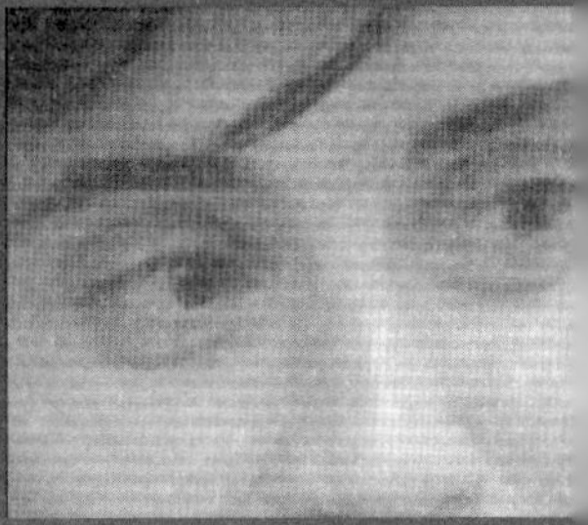